LA GUERRE AU GRAS

Les Éditions Transcontinental
1100, boul. René-Lévesque Ouest
24e étage
Montréal (Québec)
H3B 4X9
Tél.: (514) 392-9000
        1 800 361-5479
www.livres.transcontinental.ca

Distribution au Canada
Québec-Livres, 2185, Autoroute des Laurentides, Laval (Québec) H7S 1Z6
Tél.: (450) 687-1210 ou, sans frais, 1 800 251-1210

Données de catalogage avant publication (Canada)
King, Brad (Brad J.)
        Traduction de: Fat wars
        Comprend des réf. bibliogr. et un index.

ISBN 2-89472-156-0

1. Amaigrissement. 2. Régimes amaigrissants. 3. Obésité. I. Titre.

RM222.2.K5614 2001   613.2'5   C2001-940478-6

Traduction:
Danielle Bleau, trad. a.
Marie-Claude Désorcy, trad. a.
Jacinthe Lesage, trad. a.

Révision linguistique:
Louise Dufour

Photo de la couverture:
David Hanover, Stone

**Photo de l'auteur en quatrième
de couverture:**
Scope Photography (Victoria, C.-B.)

**Mise en pages et conception
graphique de la couverture:**
Studio Andrée Robillard

© Les Éditions Transcontinental inc., 2001
Dépôt légal – 2e trimestre 2001
Bibliothèque nationale du Québec
Bibliothèque nationale du Canada

ISBN 2-89472-156-0 (Les Éditions)

La forme masculine non marquée désigne les femmes et les hommes.

Nous reconnaissons, pour nos activités d'édition, l'aide financière du gouvernement du
Canada, par l'entremise du Programme d'aide au développement de l'industrie de l'édition
(PADIÉ), ainsi que celle du gouvernement du Québec (SODEC), par l'entremise du
Programme d'aide aux entreprises du livre et de l'édition spécialisée.

BRAD J. KING

PRÉFACE DE DANIEL-J. CRISAFI

LA GUERRE AU GRAS

Traduit de l'anglais par
Danielle Bleau, Marie-Claude Désorcy
et Jacinthe Lesage, traductrices agréées

Les Éditions
TRANSCONTINENTAL inc.

PRÉFACE

C'est avec grand plaisir que j'ai accepté d'écrire la préface du livre de mon ami, Brad King.

La perte de poids est le défi que doit relever un nombre considérable de femmes et d'hommes nord-américains. En effet, selon certaines statistiques, plus de 50 % de nos concitoyens souffrent d'embonpoint.

Lorsque nous faisons allusion à l'embonpoint, il n'est pas avant tout question d'esthétique. Nous savons maintenant que l'embonpoint augmente le risque de plusieurs maladies graves. En effet, les statistiques révèlent que l'embonpoint est relié à l'augmentation du diabète, des maladies cardiovasculaires et du cancer.

Malheureusement, dans leur quête du poids santé, les consommateurs perdent souvent leur argent et leur temps plutôt que du poids. De plus, ceux qui arrivent à maigrir perdent parfois plus de masse osseuse ou musculaire que de gras. Enfin, hélas, ceux qui perdent du poids voient souvent celui-ci prendre sa revanche en revenant en force.

Pourquoi donc essuyons-nous ces défaites ? Pourquoi obtenons-nous ces résultats mitigés ? Est-il impossible de perdre du poids de façon saine et permanente ? Est-il impossible de perdre du gras sans pour autant réduire notre masse osseuse ou musculaire ? Voilà les questions auxquelles répond le livre de Brad King.

Avec respect pour l'intelligence des consommateurs, *La guerre au gras* explique les causes de l'embonpoint. Brad offre aux lectrices et lecteurs les outils qui leur permettront de se prendre en main en toute connaissance de cause. Cet ouvrage n'offre pas de recettes miracles et populaires. Tout en étant simple à lire, *La guerre au gras* offre de l'information et des outils qui permettent de perdre du gras.

En lisant *La guerre au gras,* on comprend le comment et le pourquoi de l'accumulation du gras dans les tissus et on apprend comment y faire face d'une façon intelligente, positive, efficace et permanente.

Daniel-J. Crisafi, N. D., M. H., Ph. D.
Rédacteur en chef de *Vitalité Québec*
Auteur de *Mince en forme et en santé* et *Candida Albicans*
Coauteur de *Les Superaliments, une moisson d'énergie*

REMERCIEMENTS

J'ai toujours rêvé d'écrire un livre sur l'amaigrissement. Après chacune de mes nombreuses conférences sur le sujet, les gens venaient me demander si j'avais un livre sur la question. Ils n'avaient pas assez d'une heure et demie pour assimiler toute l'information. C'est à ces personnes et à quelques autres, déroutées et frustrées par la propagande de l'industrie de l'amaigrissement, que je dois d'avoir entrepris la rédaction de *La guerre au gras.*

Plusieurs personnes m'ont encouragé à écrire ce livre. Sans leur appui et leur générosité, je n'aurais jamais concrétisé mes intentions. Je désire exprimer ma gratitude à tous ceux et celles qui ont contribué de quelque manière que ce soit au succès de ce projet.

Je remercie en premier lieu ma mère spirituelle, Peggy Groom. Non seulement elle m'a adopté quand j'ai perdu ma mère biologique, mais elle m'a incité à réaliser mon projet et m'a épaulé. Peggy, je t'aime de tout mon cœur. Je suis reconnaissant à l'un de mes mentors, Sam Graci, qui est toujours disposé à aider ceux qui sont assez avisés pour l'écouter. C'est en lui que j'ai trouvé un modèle pour devenir le chercheur, le conférencier et l'apôtre de la santé que je suis aujourd'hui. Merci également à un autre de mes mentors, le Dr Michael Schmidt, dont la coopération ne m'a jamais fait défaut et en qui j'admire et l'ami et l'homme d'affaires. Merci au Dr Kenneth Seaton, qui m'a tant appris. Un merci tout spécial à Stewart Brown, qui a eu assez confiance en mon travail pour appuyer mon projet. Merci à l'un de mes alliés les plus fidèles, Fred Hagadorn, qui a cru en moi dès le premier jour et n'a jamais hésité à mettre sa réputation en jeu pour me gagner des partisans. Merci à Deane Parkes, qui m'a donné la chance de montrer de quoi j'étais capable, même à mes débuts. Merci à mon éditeure, Susan Girvan, qui a su trouver l'équilibre entre mon perfectionnisme et les exigences de la vulgarisation. Merci à Robert Harris, directeur de l'édition chez CDG Books Canada, qui s'est enthousiasmé pour mon projet et y a apposé le sceau de sa maison d'édition. Merci à toute l'équipe de Greens+ (ehn inc.) pour son dynamisme et son soutien sans faille. Un merci bien senti à Tara Stubensey, qui a lu le manuscrit et s'est prise de passion pour le sujet. Merci à David Chapman et aux gens du groupe Purity Life, grâce à qui je me suis initié à l'industrie de la santé. Merci à Linda Lewis, l'amie et la partenaire d'affaires, qui m'a aidé pendant trois ans à concilier les carrières de chroniqueur radio et de conférencier. Merci à Terry Spence et au groupe CFAX 1070, grâce à qui j'ai fait mes premières armes à la radio. Merci à ma bonne amie et complice Naomi Kolesnikff, sur laquelle je puis compter depuis le début. Merci à mon collègue chercheur Rick Brunner, Ph. D., qui m'a aidé à faire les recherches nécessaires à la rédaction de cet ouvrage. Je désire enfin exprimer ma gratitude et mon affection à mes trois sœurs, Debbie, Lisa (tu resteras toujours ma petite sœur) et Chris.

Je tiens à exprimer ma reconnaissance aux chercheurs du monde entier qui travaillent sans relâche afin de vaincre la graisse une fois pour toutes.

Brad J. King, septembre 2000

TABLE DES MATIÈRES

Table des matières

Table des matières

PARTIE I

Nous sommes gros.
Et alors ?

Les Nord-Américains engraissent de jour en jour. Aux États-Unis, plus de la moitié des hommes et des femmes d'âge adulte ont de l'embonpoint. La proportion est de presque un tiers au Canada. Le taux d'obésité monte en flèche. De 1978 à 1992, au Canada, il est passé de 6,8 % à 12,0 % chez les hommes et de 9,6 % à 14,0 % chez les femmes. Le problème n'est pas circonscrit à l'Amérique du Nord. Au Samoa occidental, par exemple, 58 % des hommes et 76 % des femmes sont obèses.

Le poids idéal est le poids associé à une probabilité statistique minimale de mort prématurée. L'obésité est généralement définie comme un excès de 25 % ou plus par rapport au poids idéal. L'embonpoint correspond à un excès de poids un peu moins important. Établir de façon exacte son poids idéal peut relever de la prouesse scientifique. Aussi la plupart des gens se livrent-ils à des calculs vagues en tenant compte de leur taille, de leur ossature (frêle ou robuste) et de leur musculature. De toute façon, quand nous sommes trop gros, nous le savons. Mais pourquoi nous faisons-nous tant de mauvais sang ? Est-ce seulement une question de tour de taille à la hausse et de moral à la baisse ? N'est-ce pas, après tout, un choix personnel ?

Oui et non. Qu'elles soient à la mode ou pas, les rondeurs prédisposent à une foule de problèmes : les maladies coronariennes, le diabète, l'hypercholestérolémie, l'hypertension artérielle, l'accident vasculaire cérébral, le cancer (du tube digestif, de la prostate, du sein, de l'endomètre, etc.), en plus des troubles de la vésicule biliaire, des dérèglements du système immunitaire, des calculs biliaires, de l'apnée du sommeil, de l'infertilité, des lombalgies et de l'arthrite. Les risques de souffrir d'une ou de plusieurs de ces affections augmentent proportionnellement au poids.

L'embonpoint favorise l'apparition précoce des maladies cardiovasculaires, car il met les vaisseaux sanguins à rude épreuve. Les artères des jambes et les capillaires des yeux peuvent même se détériorer trois fois plus rapidement chez les gros que chez les maigres. L'excès d'adiposité, de même, accroît énormément les risques d'hypertension artérielle.

L'embonpoint est un facteur capital de l'apparition du diabète de type II. Cette maladie ne frappait autrefois que des adultes, mais sa fréquence augmente aujourd'hui de façon marquée chez les enfants, parallèlement à celle de l'embonpoint. L'embonpoint entraîne aussi l'asthme et la dépression chez les enfants. (Rappelez-vous combien ceux-ci peuvent être cruels entre eux.) Le diabète de type II atteint environ 18 millions de personnes en Amérique du Nord, et il n'est pas diagnostiqué chez la moitié d'entre elles. En se débarrassant de leur surplus de graisse, 15 millions de ces personnes pourraient vraisemblablement diminuer leur consommation de médicaments, jouir d'un regain d'énergie, améliorer considérablement leur état de santé et prolonger leur existence. On estime que 85 % des diabétiques souffrent d'embonpoint et qu'un grand nombre sont obèses. Les complications possibles de leur maladie n'ont rien de réjouissant: cécité, insuffisance rénale, maladies coronariennes et gangrène.

Et le cancer? Plus de 70 % des cas sont attribuables au mode de vie. Même en soustrayant les cancers reliés au tabagisme et à la consommation d'alcool, il en reste encore un bon nombre associés à l'embonpoint. Ces cancers sont déclenchés par les œstrogènes et les cancérogènes. Où ces substances sont-elles emmagasinées? Dans les cellules adipeuses. C'est là qu'elles élisent domicile. Éliminons leur siège et nous les empêcherons de faire des dégâts.

Certes, le système immunitaire lutte contre les œstrogènes et les cancérogènes, mais il peut s'épuiser à la tâche. Le Dr Edward Conley, directeur médical de la Fatigue and Fibromyalgia Clinic, au Michigan, s'exprime en ces termes: «Le système immunitaire doit détruire environ 200 cancers par jour. Et s'il est vigoureux, il en détruit 200 par jour.» N'oublions pas que le système immunitaire fait plus que supprimer les cellules précancéreuses, il s'attaque aussi à une multitude d'organismes comme les virus, les parasites et les bactéries. Les études démontrent que l'obésité taxe des défenses déjà fort sollicitées en diminuant dans l'organisme la capacité de résister au stress.

Nombre de chercheurs pensent que les risques de maladie dépendent non seulement de la quantité de tissu adipeux, mais aussi de l'endroit où il se loge. Des recherches viennent de prouver que le tissu adipeux situé dans l'abdomen, par opposition à celui qui se développe dans les cuisses et les fesses, constitue l'une des principales causes de maladie. La graisse abdominale est en effet reliée à une production excessive d'hormones qui sont libérées dans la circulation sanguine en période de stress et qui affaiblissent le système immunitaire. Nos risques de mourir prématurément sont directement proportionnels au volume de notre «brioche». Il semble en outre que les cellules adipeuses de l'abdomen aient une tendance marquée à déverser des lipides (matières grasses) dans la circulation sanguine, une autre situation à éviter.

La question n'est pas seulement d'ordre esthétique. Elle constitue un grave problème de santé publique. Les maladies reliées à l'excès de poids nous coûtent mine de rien des milliards de dollars par année. On estime que les coûts directs de l'obésité grugent 2,4% du budget des soins de santé au Canada. L'hypertension artérielle, le diabète et les maladies coronariennes entraînent le gros des dépenses. Aux États-Unis, on compte que l'obésité dicte 5,7% des dépenses reliées à la santé, soit plus de 100 milliards de dollars par année. Et cela, sans compter les coûts indirects attribuables à l'absentéisme et à la perte de productivité qui s'ensuit.

VOTRE POIDS EST-IL PROPORTIONNÉ À VOTRE TAILLE?

Existe-t-il vraiment un intervalle de poids idéal? Oui! Comment le déterminer? Les chercheurs qui étudient les effets de l'adiposité sur la santé se servent d'une mesure appelée indice de masse corporelle, ou IMC. Ils utilisent pour calculer cet indice une formule qui tient compte du poids et de la taille. (Oui, la taille compte.) L'IMC est un outil commode qui permet d'établir rapidement si le poids d'une personne l'expose à des risques. Sur quoi les scientifiques se fondent-ils? Les recherches ne manquent pas à ce propos. Ainsi, Manson et ses collègues ont suivi 115000 infirmières pendant une période de 14 à 16 ans avant de publier les résultats de leur étude en 1995. Ils ont découvert que les femmes ayant un IMC de 19 ou moins présentaient le plus faible taux de mortalité. Le risque de mort prématurée augmentait de 20 % pour un IMC de 19,0 à 24,9, de 60 % pour un IMC de 27,0 à 28,9 et de 100 % pour un IMC de 29 et plus.

On considère que l'IMC idéal se situe entre 19 et 25. (L'IMC moyen chez les Américaines est de 26.) Vous pouvez calculer vous-même votre IMC. Commencez par diviser votre poids en livres par le carré de votre taille en pieds. Multipliez le résultat par 4,89. Pas besoin d'être mathématicien pour y arriver.

Prenons un exemple. Supposons que vous pesez 125 livres et mesurez 5 pieds et 3 pouces (5,25 pieds). Divisez 125 par 27,5625 (5,25 x 5,25). Vous obtenez 4,535. Multipliez ce nombre par 4,89. Votre IMC est de 22,2, soit à l'intérieur des limites normales. Si vous pesez 150 livres et mesurez 5 pieds et 3 pouces, divisez 150 par 27,5625. Vous obtenez 5,442, nombre que vous multipliez par 4,89. Votre IMC est de 26,6 et il est temps pour vous de passer à l'action !

Une précision s'impose. Une personne mince et très musclée aura vraisemblablement un IMC inquiétant, alors que cette personne jouit en réalité d'une bonne santé. Rappelez-vous que les os et les muscles pèsent beaucoup plus lourd que la graisse. Pour ma part, je pèse 190 livres et je mesure 5 pieds et 8 pouces (5,67 pieds). Si je divise 190 par 32,1489 (5,67 au carré) et que je multiplie le résultat par 4,89, j'obtiens un indice de masse corporelle de 29.

Dans mon cas, ce chiffre n'est pas significatif. (Bien sûr que non !) Je suis dans une excellente forme physique. (Sans blague.) La véritable mesure de l'obésité est le pourcentage de tissu adipeux dans l'organisme. Cette proportion ne devrait pas dépasser 15 % chez un homme normal en bonne santé, et de 15 % à 22 % chez une femme normale en bonne santé. Mon pourcentage de tissu adipeux s'établit à 13 en ce moment. C'est à peu près la quantité de graisse que l'on trouve chez un athlète masculin et, de fait, je suis en quelque sorte un athlète.

Au moment où vous déclarerez la guerre au gras, vous commencerez à développer vos muscles. Il est peu probable que votre IMC augmente pour autant, de sorte que la mesure continuera de vous être utile. Je conseille néanmoins à toute personne qui désire s'informer sur son véritable état de santé d'obtenir une mesure du pourcentage de tissu adipeux. L'annexe I contient des renseignements à ce sujet.

La perspective d'une mort prématurée n'est pas qu'une vague menace que je brandis comme un épouvantail. La plupart des gens souffrant d'embonpoint ou d'obésité sont sujets à mourir avant leur temps. Quand on songe à la liste des maladies que ces états entraînent, comment s'étonner que les personnes touchées atteignent rarement l'âge vénérable de 80 ou 90 ans? Au Samoa occidental, l'espérance de vie est de 67 ans pour les hommes et d'un peu moins de 72 ans pour les femmes. Cela vous suffirait-il? On ne peut négliger le coût social des décès prématurés. Non seulement ils emportent des gens qui auraient pu apporter encore longtemps de précieuses contributions à la société, mais ils nous arrachent des grands-mères et des grands-pères, des tantes et des oncles, des mères et des pères, des êtres aimés et aimants. Tous ces déchirements à cause de la graisse! L'embonpoint ne nous condamne pas inéluctablement à la maladie et à la mort précoce, mais il augmente à coup sûr nos chances de compter dans de sombres statistiques.

La guerre au gras nous permet d'atteindre un poids santé et de diminuer ainsi les risques de mort prématurée. Pour livrer cette guerre, nous devons comprendre comment fonctionne notre organisme et utiliser les armes que la nature nous a données. Nous pouvons accélérer notre métabolisme, éliminer notre surplus de graisse, augmenter notre résistance aux maladies, accroître notre énergie et, tout simplement, favoriser notre bien-être. Quiconque a déjà tenté de perdre du poids sait que le combat est rude. Mais ce que vous ne savez pas causera votre défaite. Tel est le propos de ce livre. Celui-ci vous enseignera à transformer votre corps et à remporter la victoire.

CHAPITRE 1

La génératrice
et le brûleur

Comment se fait-il que certaines personnes puissent s'empiffrer sans retenue et ne jamais grossir, tandis que nous autres engraissons rien qu'à regarder notre assiette? Comment se fait-il qu'à régime amaigrissant égal, les hommes perdent du poids plus vite que les femmes? La différence tient à l'efficacité de deux processus physiologiques: le métabolisme – ce mot vous dit sans doute quelque chose – et la thermogenèse, un phénomène moins connu.

Le métabolisme est la série de réactions biochimiques qui se déroule à l'intérieur des 100 billions de cellules du corps humain et dont le résultat est la production d'énergie. L'organisme dégrade les nutriments que nous lui fournissons (les glucides, les lipides et les protéines) afin de produire l'énergie dont nous avons besoin pour conserver notre chaleur, remuer nos muscles, respirer, ouvrir et fermer les paupières, vivre en somme. De deux choses l'une: ou l'organisme consomme le combustible aussitôt obtenu, ou (vous l'aviez deviné) il l'emmagasine dans les cellules adipeuses en vue d'un usage futur. Environ 80% du combustible consommé sur-le-champ est libéré sous la forme de chaleur, et 20% sert au reste. Un métabolisme rapide et efficace engendre une grande quantité d'énergie et de chaleur (et nécessite une grande quantité de combustible).

La thermogenèse, par ailleurs, est l'utilisation des réserves d'énergie (le tissu adipeux) en vue de la production de chaleur. Encore une fois, l'efficacité de la thermogenèse détermine l'abondance des réserves de graisse.

Bref, l'organisme est doté d'une génératrice et d'un brûleur.

LA GÉNÉRATRICE

La plupart des gens pensent que l'organisme tire directement son énergie des aliments dégradés dans le tube digestif. Ils se trompent. L'organisme doit d'abord convertir les glucides, les lipides et les protéines en une unité universelle d'énergie, l'adénosine triphosphate, ou ATP. Ce composé organique est produit dans l'usine biochimique microscopique que renferme chacune de nos cellules puis emmagasiné dans le tissu musculaire. Lorsque le cerveau transmet dans le système nerveux le signal qui déclenche une contraction musculaire, des enzymes dégradent l'ATP afin qu'il libère l'énergie nécessaire à ce travail. L'ATP est la source de toute notre énergie. Les muscles en consomment énormément (que ce soit pour faire battre le cœur ou nous permettre de nous gratter la tête, d'actionner la télécommande ou de déménager un piano) de sorte qu'il s'épuise rapidement, même s'il est produit de façon constante. L'ATP fournit à la fois l'énergie qui ne nécessite pas d'oxygène (pour le court terme) et l'énergie qui en nécessite (pour le long terme, c'est-à-dire pour le travail aérobie).

Même si l'ATP constitue l'unité énergétique de base, l'organisme possède un système aussi complexe que prodigieux pour rester en mouvement. Ce système comprend différents mécanismes qui entrent en jeu selon le type d'activité physique en cours et la quantité d'oxygène nécessaire. Nous pourrions les comparer aux vitesses d'une automobile.

En première vitesse : l'ATP

Lorsque nous avons besoin d'un apport immédiat d'énergie, l'ATP fait l'affaire. L'organisme en produit constamment, mais n'en emmagasine pas de grandes quantités dans sa forme pure. L'ATP à lui seul suffit à alimenter nos muscles pour des efforts d'une durée d'environ trois secondes, lancer un ballon ou frapper une balle avec une raquette par exemple.

En deuxième vitesse : l'ATP et la CP

Pour les efforts plus soutenus, les muscles s'alimentent à un autre combustible : la créatine phosphate, ou CP. Cette source d'énergie peut être entreposée plus longtemps que l'ATP et sert à régénérer celui-ci. La CP cède son groupement phosphate à la molécule d'ATP dégradée, et le tour est joué ! Nous nous retrouvons avec un approvisionnement d'ATP d'une durée de 10 secondes environ. Assez pour sprinter jusqu'à la ligne d'arrivée ou chausser un tout-petit de ses bottes d'hiver.

En troisième vitesse : l'ATP, la CP, le glucose... et l'acide lactique

Si nous avons besoin d'énergie pendant une période de 10 secondes à 2 minutes, le système passe en troisième vitesse. Dans une telle situation, les muscles utilisent l'ATP et mettent la CP à contribution. De plus, ils dégradent le glucose et le glycogène afin de reconvertir encore plus d'ATP en combustible utilisable.

La dégradation du glucose engendre un sous-produit appelé acide lactique. Les ions hydrogène que libère l'excès d'acide lactique provoquent une sensation de brûlure dans les muscles. Ce message est clair : ou bien nous cessons l'activité en cours parce que nous n'avons pas assez de « jus » pour continuer, ou bien nous ajoutons de l'oxygène au combustible. C'est le moment de prendre une grande respiration et de passer en quatrième vitesse.

En quatrième vitesse : la phase aérobie

Pour tenir pendant plus de deux minutes, nous devons ajouter de l'oxygène au combustible. Soyons réalistes : la plupart de nos activités durent plus de deux minutes. C'est alors que l'importance du conditionnement physique se fait sentir. Nous savons tous, en effet, que la consommation d'oxygène est un des principaux indicateurs de la forme physique. Plus la consommation d'oxygène est efficace, plus grande est la capacité de produire l'énergie nécessaire à un travail vigoureux et prolongé.

En quatrième vitesse, les cellules musculaires produisent encore de l'ATP, mais une de leurs composantes, la mitochondrie, entre en action. Elle combine un certain nombre d'éléments, dont l'oxygène et les acides gras (MAIS OUI !), qui se consument de belle façon pour fournir un apport soutenu d'énergie. C'est en quatrième vitesse que l'organisme brûle de la graisse, comme si l'on avait enclenché son régulateur de vitesse.

L'organisme passe d'une vitesse à l'autre en douceur, mais c'est en quatrième (c'est-à-dire en phase aérobie) que la graisse est dégradée plutôt que stockée. Et pour maintenir notre organisme en mode aérobie, nous devons favoriser l'efficacité de notre métabolisme.

LE BRÛLEUR

Tandis que le métabolisme fournit à la fois de la chaleur et de l'énergie, la thermogenèse engendre seulement de la chaleur. Pourquoi sommes-nous dotés de ce système auxiliaire? Parce que nous sommes des animaux à sang chaud et que notre température doit demeurer constante (à 37°C ou 98,6°F) en dépit des variations de la température extérieure. Ici, au Canada, nous cherchons à conserver notre chaleur alors que, sous les climats chauds, l'organisme tente de se rafraîchir. Qu'une maison soit équipée de calorifères ou de climatiseurs, ces appareils ont besoin d'énergie pour fonctionner. Il en va de même des mécanismes de thermorégulation. Ils accomplissent un travail colossal et, contrairement aux muscles squelettiques, ils ne chôment jamais.

En règle générale, la production de chaleur tient à trois facteurs:

- L'activité physique, durant laquelle les muscles font double tâche (métabolisme et thermogenèse).
- La digestion, après un repas copieux en particulier; avez-vous déjà remarqué combien la chaleur monte après le dîner de Noël?
- La thermorégulation (régulation de la température), qui s'effectue notamment au moyen du grelottement (thermogenèse).

Qu'est-ce que la thermogenèse?

La thermogenèse est la production de chaleur dans l'organisme par des voies chimiques; elle favorise l'oxydation de la graisse[1]. L'organisme doit sans cesse dégrader de la graisse pour conserver une température normale. Chaque fois que vous accélérez votre métabolisme, vous augmentez la production de chaleur et vous brûlez plus de graisse. Dans l'organisme, le tissu adipeux brun (TAB) est spécialisé dans la dégradation du tissu adipeux blanc. L'adrénaline, une hormone produite par les glandes surrénales, active la thermogenèse dans le tissu adipeux brun et les muscles.

Pour l'essentiel, l'organisme fait usage des calories ingérées de trois manières:

1. Il s'en sert pour satisfaire ses besoins quotidiens en énergie.
2. Il les stocke en prévision des besoins énergétiques futurs.
3. Il les brûle dans les cellules qui composent le tissu adipeux brun. Ces cellules ont pour fonction de brûler les calories dont l'organisme n'a pas besoin. C'est la thermogenèse.

---

1 Les termes «oxydation de la graisse», «combustion de la graisse» et «lipolyse» sont synonymes et désignent la dégradation des lipides en vue de la production d'énergie.

La graisse s'accumule surtout lorsque les cellules du TAB ne fonctionnent pas adéquatement ou ne sont pas activées assez souvent. Et que fait l'organisme avec l'excès de calories ? Il l'emmagasine sous forme de graisse.

Si nombre de gens prennent du poids entre 30 et 40 ans, ce serait, selon les chercheurs, à cause d'un signal génétique qui mettrait fin au mécanisme thermogène dans les cellules du TAB. Nous devons donc trouver des moyens de contrer ce signal et de réactiver la thermogenèse dans le TAB. Autrement, nous continuerons à accumuler de la graisse, et ce, quels que soient les régimes amaigrissants que nous nous astreignions à suivre. Or, nous avons de la chance : des études démontrent qu'il est possible de remédier à la défaillance génétique qui cause l'embonpoint chez des milliers de gens. Il faut commencer par mobiliser les réserves de graisse et les acheminer par voie sanguine jusqu'aux cellules du TAB. L'organisme les convertira alors en calories au moyen de la thermogenèse. Avec le temps, l'activation régulière de la thermogenèse favorise la production de TAB, d'où une augmentation marquée de la transformation des calories en chaleur.

La thermogenèse nous garde au chaud même quand nous n'avons pas besoin d'énergie musculaire. Tel est le mécanisme qui régit la température des animaux pendant l'hibernation, celle des nouveau-nés avant que leurs systèmes métaboliques ne soient pleinement développés et la nôtre pendant le sommeil. On peut en quelque sorte comparer la thermogenèse à un adjuvant du métabolisme.

Le fonctionnement du brûleur

Notre système de chauffage personnel utilise trois protéines spécialisées, dites protéines découplantes, pour produire de la chaleur. Ces protéines proviennent du tissu adipeux brun, du tissu musculaire, des cellules immunitaires, du tissu adipeux blanc et des muscles squelettiques ; elles se trouvent un peu partout dans l'organisme. Elles sont qualifiées de découplantes parce qu'elles peuvent dissocier la production de chaleur de la production d'énergie et engendrer seulement de la chaleur.

La thermogenèse s'alimente à la source de combustible la plus abondante et la plus économique dans l'organisme, la graisse. Cette graisse à laquelle nous faisons la guerre, nous en avons besoin pour conserver une température normale. Nous ne pourrions donc survivre sans une petite réserve de graisse. Le problème, pour la majorité des gens, c'est qu'ils possèdent assez de combustible pour réchauffer toute leur famille en plus d'eux-mêmes.

Le mécanisme de chauffage s'amorce avec la mobilisation de la graisse stockée et son transport via la circulation sanguine jusque dans les cellules contenant des protéines découplantes. Là, la graisse prend une forme soluble et peut être brûlée. L'activité thermogène régulière peut à la longue entraîner une prolifération du TAB et intensifier ainsi la lipolyse. À mesure que le transport de la graisse et le fonctionnement du TAB gagnent en efficacité, les réserves de graisse diminuent.

Puisque nous parlons de chauffage, ajoutons que l'organisme possède aussi un thermostat : la glande thyroïde. Située dans le cou, la glande thyroïde produit trois hormones qui interviennent tant dans la thermogenèse que dans le métabolisme.

Le TAB et le vieillissement

Nous avons dit que les cellules du TAB servent à la fois de génératrices et de brûleurs et qu'elles ne sont pas les seules à produire les protéines découplantes. Il n'en reste pas moins que ces cellules constituent le siège principal de la thermogenèse.

Nous avons aussi indiqué que les réserves de graisse demeurent minimales lorsque les cellules du TAB fonctionnent de manière optimale. Certains chercheurs ont avancé que ces cellules remplissent deux fonctions pendant le jeune âge, au moment où les protéines découplantes travaillent à plein régime. Premièrement, elles empêchent la mise en réserve des lipides alimentaires sous la forme de graisse en transformant les calories excédentaires en déchets que l'organisme peut éliminer. Deuxièmement, elles dissolvent la graisse afin de la rendre utilisable. Mais le temps passe et ce système perd son efficacité. Pourquoi ? Pour plusieurs raisons. Parce que nous optons pour des combustibles de piètre qualité, parce que nous forçons sur le ravitaillement et parce que la production de protéines découplantes diminue ou cesse complètement. La prise de poids soudaine que connaissent nombre de gens au cours de la trentaine serait due au mauvais fonctionnement, voire à l'arrêt, du système thermogène. Les cellules du TAB ne sont pas le seul siège de la lipolyse, certes, mais il ne faut pas les négliger pour autant. Il nous faut trouver une façon de réactiver le processus. Sinon, nous aurons beau suivre tous les régimes possibles, nous ne nous débarrasserons jamais de notre graisse.

RAVIVER LA FLAMME

Puisque la lipolyse s'accomplit principalement grâce au travail musculaire (la génératrice), on peut favoriser le processus en faisant de l'exercice. Il a en outre été démontré qu'un régime alimentaire riche en protéines stimulait l'activité thermogène. Une étude réalisée en 1993 par le Dr Barenys et ses collègues à l'Université Rovira i Virgili, en Espagne, a prouvé que ces deux facteurs étaient beaucoup plus efficaces en association qu'isolément. Chez les sujets du Dr Barenys, l'augmentation du métabolisme basal persistait jusqu'au lendemain de l'activité physique. On peut supposer que cet effet est dû aux protéines alimentaires: un repas protéique peut augmenter le métabolisme basal de 25% à 30%, comparativement à 4% seulement pour un repas glucidique.

Quels sont les autres moyens de raviver la flamme du brûleur? Des recherches ont démontré que les cellules du TAB peuvent se multiplier chez les êtres humains exposés au froid durant de longues périodes (chez les habitants de l'Arctique par exemple). Si vous n'êtes pas prêt à déménager dans le Grand Nord pour perdre du poids, vous pouvez vous rabattre sur l'orange amère (*Citrus aurantium*), aussi appelée orange de Séville. Ce fruit provenant de l'Asie du Sud-Est contient cinq alcaloïdes clés qui favorisent la lipolyse et accélèrent le métabolisme au moyen de la thermogenèse. (Nous reviendrons au chapitre 12 sur cet important aliment.)

LES RÉSERVES DE COMBUSTIBLE

Sur nos 100 billions de cellules, 30 milliards environ sont des cellules adipeuses capables de se dilater et de se multiplier. Certes, elles peuvent aussi se contracter mais, chose certaine, elles ne disparaissent jamais. (Le seul moyen de les éliminer est la liposuccion.) Cette caractéristique du corps humain est apparue, au cours de l'évolution, des milliers d'années avant l'ouverture du premier supermarché. À cette époque, nos ancêtres cueillaient des noix et des fruits dans la forêt et, une fois de temps en temps, s'offraient un repas de gibier. Ils se gavaient quand la nourriture était abondante, car ils n'avaient aucun moyen de conserver leurs aliments et savaient fort bien qu'ils ne remangeraient peut-être pas de sitôt. C'est donc pour résister à cette

alternance de l'abondance et de la famine que l'organisme a acquis la capacité de convertir à peu près n'importe quoi en graisse (c'est-à-dire en réserve
de combustible). Nous n'avons pas besoin de manger de la graisse pour en
produire. Notre organisme transforme en graisse l'excès de protéines et de
glucides qui lui est fourni. Il peut même en faire autant avec le surplus d'hormones comme l'insuline. Il est encore programmé à stocker le combustible
en prévision des jours maigres.

Un mécanisme qui a mis des siècles et des siècles à s'établir n'est pas
sur le point de changer. Par ailleurs, nous avons mis au point en fort peu de
temps des méthodes beaucoup plus efficaces que la chasse et la cueillette
pour nous nourrir. Nous avons éliminé le cycle de l'abondance et de la
famine dans de nombreuses régions de la planète. Faut-il s'étonner, alors,
que ces mêmes régions soient aux prises avec les problèmes reliés à
l'obésité?

CHAPITRE 2

Les hormones, les protéines et la
dégradation
de la graisse

Tammy est une femme exceptionnelle. Elle travaille à temps plein comme productrice radio et à temps partiel comme animatrice. Elle adore s'amuser et s'entraîne tous les jours. Elle ne manquerait pour rien au monde une séance d'exercice, de peur d'engraisser. Elle a suivi presque tous les régimes amaigrissants imaginables et en a même inventé un ou deux elle-même. Elle a échoué dans tous les cas.

De guerre lasse, Tammy est venue me consulter il y a un an environ. Après avoir passé en revue son apport alimentaire, analysé son programme d'exercices et mesuré son pourcentage de tissu adipeux, j'ai conclu que Tammy consommait trop de glucides transformés et pas assez de protéines. J'ai constaté aussi qu'elle ne s'adonnait pas au bon type d'activité physique. Selon moi, Tammy ne parvenait pas à se débarrasser de son excès de graisse parce qu'elle présentait une forte concentration d'insuline au repos, un problème commun à des millions de personnes souffrant d'embonpoint.

J'ai conseillé à Tammy de remplacer les glucides transformés par des protéines et des glucides non transformés comme des céréales entières, des fruits et des légumes. Je lui ai même suggéré de consommer quelques lipides essentiels, des oméga-3 en particulier. Je l'ai incitée à manger plus fréquemment et à prendre des boissons protéiques entre ses repas principaux. Enfin, j'ai encouragé Tammy à substituer quelques exercices contre résistance (avec des poids) à ses exercices aérobiques, deux ou trois fois par semaine.

Est-il besoin de dire que Tammy ne s'y retrouvait plus? «Les glucides ne me font pas engraisser, s'est-elle écriée. C'est impossible! Ils ne contiennent même pas de gras! Et puis, a-t-elle ajouté, tu me demandes de prendre cinq ou six repas par jour! Cette graisse que j'ai en ce moment, où crois-tu que je l'aie prise?» Tammy était soufflée: «Et puis tu veux que je laisse tomber les exercices qui me font brûler de la graisse! Il faudrait que je les remplace par des exercices qui vont me gonfler les muscles!» Tammy a-t-elle suivi mes conseils? Pas le moins du monde. Je venais de démentir tout ce qu'elle avait appris au sujet de la perte de poids.

Un an a passé. Tammy me téléphone un bon matin. «Brad, Tammy à l'appareil. Devine!» Le ton de sa voix trahissait son enthousiasme. «J'ai fondu de presque 20 livres et c'est grâce à toi!» Tammy m'a alors raconté qu'elle avait perdu courage deux mois plus tôt. «Si j'avais pris une seule livre avec un régime insensé et un programme d'exercices minable, je me jetais en bas d'un pont.»

En désespoir de cause, Tammy avait résolu de suivre mes conseils. Puisque toutes ses autres tentatives avaient échoué, elle se disait qu'elle n'avait plus rien à perdre. Elle a donc supprimé les glucides raffinés et opté pour l'entraînement en résistance. Les résultats obtenus au bout de quelques jours seulement l'ont renversée. À présent, elle s'est débarrassée de 20 livres de graisse qui sapaient son énergie, et elle n'a pas dit son dernier mot... ■

Le cas de Tammy n'est pas une exception, mais la règle! Des millions de femmes et d'hommes frustrés et déroutés cherchent désespérément la vérité en matière d'amaigrissement. Malheureusement, ils s'accrochent à des croyances surannées que contredisent pourtant leurs échecs répétés et les résultats de la recherche.

LES GÈNES : DE LA PRÉHISTOIRE À AUJOURD'HUI

«Dis-moi ce que tu manges, je te dirai qui tu es.» Nous avons tous entendu ce dicton. Si l'on en croit le Dr Boyd Eaton, un expert de l'évolution et du régime alimentaire des hominidés, il faudrait plutôt dire : «Dis-moi ce que tes ancêtres ont mangé…» Selon le Dr Eaton, en effet, 99 % de notre capital génétique s'est constitué avant l'apparition de l'*Homo sapiens* (il y a environ 40 000 ans), et 99,99 % de nos gènes se sont formés avant l'avènement de l'agriculture (il y a environ 10 000 ans).

Nos besoins alimentaires se sont établis au cours des millions d'années de notre évolution génétique. Pour l'essentiel, nous avons les mêmes gènes que nos lointains ancêtres. Si nous nourrissons bien nos gènes, ils feront bien leur travail, ce qui veut dire au bout du compte que nous resterons en bonne santé. Mais si nous donnons à nos gènes des nutriments pour lesquels ils ne sont pas faits, ils se rebifferont et nous tomberons malades.

Que mangeaient au juste nos ancêtres ? Certainement pas ce que nous mangeons aujourd'hui. Le régime alimentaire moderne est riche en glucides raffinés et en lipides transformés. Or, notre organisme est préparé à recevoir un régime composé de gibier ainsi que de fruits et de légumes entiers. Les choses ont bien changé depuis 100 siècles. Dans l'intervalle, nous avons négligé les principes fondamentaux qui ont façonné notre physiologie et nous en avons trop demandé aux gènes qui nous ont permis de durer. Au lieu de manger à la manière de nos ancêtres, nous sommes devenus des accros des glucides. Nous en avons fait notre principal nutriment, reléguant les protéines au rang de suppléments. Après de méticuleuses recherches, le Dr Eaton a avancé que le régime alimentaire des hommes préhistoriques était composé à 30 % de protéines. Et quel est le rapport avec l'obésité ? Capital !

Selon les généticiens, il faut compter presque 100 000 ans pour que s'effectue dans les cellules une modification génétique substantielle. Puisque les glucides ne sont devenus notre nutriment principal que depuis 10 000 ans, nos gènes mettront encore 90 000 ans à s'adapter. Selon le Dr Eaton, toute déviation par rapport au régime alimentaire de nos ancêtres accroît nos risques de souffrir d'une maladie de la civilisation moderne, que ce soit le diabète, les maladies coronariennes, l'arthrite ou le cancer.

Pour gagner la guerre du gras et collaborer enfin avec notre corps afin de vivre en bonne santé, nous devons manger les aliments auxquels celui-ci est génétiquement réceptif. Puisque nos ancêtres chasseurs-cueilleurs se nourrissaient de viande maigre riche en protéines ainsi que de fruits et de légumes entiers, nous serions avisés de les imiter. Comme Charles Darwin nous l'a enseigné, les forces de la sélection naturelle ont fait en sorte que ces aliments nous soient les plus propices. Nos ancêtres ne mangeaient pas trois repas équilibrés tous les jours, et le corps humain est devenu prévoyant: il a acquis la capacité de se faire des réserves. Nous possédons à présent 30 milliards de cellules adipeuses, capables de multiplier leur volume par 1 000 et, pire, de se multiplier tout court.

L'INSULINE, UN AGENT DOUBLE

Sur la trentaine d'hormones connues (d'autres restent sans doute à découvrir), quelques-unes seulement interviennent dans le gain et la perte de poids. L'insuline est du nombre. Cette hormone protéique est sécrétée par le pancréas après les repas et en période d'hyperglycémie (forte concentration de glucose dans le sang). L'insuline est une arme à deux tranchants. D'une part, elle remplit des fonctions essentielles à la vie, dont l'apport de sucre (sous forme de glycogène) aux muscles à des fins énergétiques, de même que la synthèse de protéines en vue de la formation d'enzymes, d'hormones et de tissu musculaire. D'autre part, l'insuline est un important facteur de l'obésité, des maladies cardiovasculaires et du diabète de type II si elle est sécrétée en excès.

L'insuline et le diabète

Prononcez le mot «insuline», et la plupart des gens penseront au diabète. Il existe deux formes de cette maladie. Le diabète de type I, autrefois appelé diabète juvénile, représente seulement 10% des cas. Il est causé par l'insuffisance ou l'absence de la sécrétion d'insuline par le pancréas.

Le diabète de type II, ou diabète adulte, qui compte pour 90% des cas, apparaît lorsque les récepteurs de l'insuline, dans les cellules, deviennent insensibles. L'insuline ne peut plus se lier aux cellules pour permettre l'entrée du glucose, de sorte que celui-ci demeure dans la circulation sanguine.

Par conséquent, les concentrations sanguines de glucose et d'insuline restent élevées. L'intolérance au glucose est un état précurseur du diabète et elle est beaucoup plus répandue. Elle se caractérise par une incompatibilité entre l'insuline et les cellules qui emmagasinent le glucose sous forme de glycogène. Les protéines de transport qui contribuent à l'entrée du glucose dans les cellules fonctionnent au ralenti, de sorte que le pancréas doit sécréter un surcroît d'insuline.

L'insuline et la mise en réserve de la graisse

Après un repas riche en glucides (surtout s'ils sont raffinés), le pancréas doit sécréter une grande quantité d'insuline pour retirer le glucose de la circulation sanguine. Et voici où le bât blesse : l'insuline est la principale coupable de la mise en réserve de la graisse.

Pour ce qui est de la dégradation (et du stockage) de la graisse, une forte concentration d'insuline abaisse la concentration d'une enzyme lipolytique appelée lipoprotéine lipase. Inversement, une faible concentration d'insuline hausse la concentration du glucagon, une hormone qui mobilise la graisse afin que les enzymes de transport puissent l'introduire dans les cellules musculaires. Autrement dit, l'organisme ne peut utiliser la graisse comme source d'énergie en présence d'une forte concentration d'insuline. L'excès d'insuline, par conséquent, fait engraisser et rester gros ! Abaisser la concentration d'insuline permet à l'organisme d'accéder aux réserves de graisse et de s'en servir pour ravitailler les cellules musculaires.

Comment pouvons-nous abaisser notre concentration d'insuline ? En modifiant notre régime alimentaire et en faisant des exercices appropriés. Nous pouvons aussi consommer sous forme de suppléments des nutriments qui accroissent l'efficacité de l'insuline (voir la section intitulée «Le chrome» au chapitre 12).

Nombre de scientifiques, de médecins et d'experts de l'amaigrissement pensent que les trois clés du succès, en matière d'élimination de la graisse, sont d'équilibrer la concentration d'insuline, de réduire la charge glucidique et d'augmenter l'apport protéique. Je vous entends dire : «Je ne mange pas beaucoup de sucre et pourtant je suis encore gras.» Voici, tirée d'un ouvrage à succès intitulé *Sugar Busters*, une citation qui remettra votre pendule à l'heure : «La plupart des Nord-Américains consomment approximativement une tasse de sucre par jour, soit presque 150 livres par année.» Rappelez-vous que presque tous les glucides que nous ingérons (bagels, pommes de terre, carottes et pain) sont rapidement transformés en glucose (en sucre). Plus la charge glucidique est élevée, plus la concentration d'insuline augmente. Maintenant que vous connaissez le rapport entre la concentration d'insuline et la prise de poids, vous pouvez empêcher la croissance exponentielle de vos 30 milliards de cellules adipeuses.

L'HORMONE DE CROISSANCE

Comme son nom l'indique, l'hormone de croissance (ou GH, pour *growth hormone*) a pour principale fonction de régir la croissance, à la puberté en particulier. Son rôle ne s'arrête pas là cependant. L'hormone de croissance a aussi pour effet d'augmenter la masse maigre de l'organisme (le tissu musculaire) et de rendre les réserves de graisse disponibles pour la production d'énergie.

L'hormone de croissance est sécrétée par l'hypophyse (une glande située au centre du cerveau) de manière cyclique; la sécrétion atteint son point culminant pendant le sommeil. De fait, 75 % de l'hormone de croissance est produite au cours des phases de sommeil profond (stades III et IV). L'hypophyse sécrète aussi de l'hormone de croissance pendant les efforts physiques vigoureux (surtout au cours d'un entraînement en résistance). L'effet cyclique de l'hormone de croissance est régi par deux hormones antagonistes produites dans l'hypothalamus, une autre glande située juste au-dessus de l'hypophyse. L'une de ces hormones accroît la concentration de l'hormone de croissance dans la circulation sanguine, tandis que l'autre diminue ou interrompt la sécrétion de l'hormone de croissance.

La sécrétion de l'hormone de croissance suit grosso modo l'horaire suivant:

- 7 h 00 : faible
- 9 h 00 : modérée
- 11 h 00 : faible
- 12 h 00 : forte
- De 14 h 00 à 17 h 00 : de faible à modérée
- 19 h 00 : de modérée à forte
- 0 h 00 : fortes poussées (si l'endormissement se produit à 21 h 00)
- De 3 h 00 à 6 h 00 : faibles poussées

Trois facteurs favorisent naturellement une sécrétion optimale d'hormone de croissance: se coucher de bonne heure et dormir profondément entre 23 h 00 et 2 h 00; faire régulièrement des exercices vigoureux; éviter les maladies.

Après avoir été sécrétée, l'hormone de croissance ne demeure que quelques minutes dans la circulation sanguine. Elle a néanmoins le temps d'exercer de puissants effets. Elle vise deux cibles: les cellules adipeuses et le foie. Dans les premières, elles s'attache à des récepteurs spécifiques et provoque la lipolyse. Dans le second, elle stimule la libération d'hormones spéciales appelées somatomédines ou facteurs de croissance analogues à l'insuline (IGF, pour *insulin-like growth factors*). Comme leur nom l'indique, ces substances ont une structure semblable à celle de l'insuline. Elles sont nécessaires au développement des cellules, des os, des muscles, des organes et du système immunitaire. Elles sont produites indépendamment de l'insuline, même si celle-ci stimule leur libération.

Quand l'hormone de croissance décroît...

Dès le début de la vingtaine, la production d'hormone de croissance décroît d'environ 14% par tranche de 10 ans. Par conséquent, la diminution se chiffre à 80% à l'âge de 60 ans. La production de somatomédines suit une courbe semblable et diminue de près de 50% à la quarantaine. Un grand nombre de spécialistes s'entendent pour dire que ces baisses radicales sont à l'origine du vieillissement et des transformations physiques que nous redoutons tous.

À l'âge de la retraite, près des deux tiers des gens ont perdu au moins un tiers de leur masse musculaire et l'ont remplacée par (eh oui, vous l'avez deviné) de la graisse. La perte de la masse maigre est une caractéristique biologique extrêmement répandue dans la population vieillissante.

Donner un coup de pouce à la nature

L'hypophyse est composée à près de 50% de cellules productrices d'hormone de croissance. Bonne nouvelle: il est possible de stimuler ces cellules quel que soit l'âge de leur propriétaire. Le Dr William Sonntag et ses collègues, à la Bowman Gray School of Medicine, en Caroline du Nord, viennent de terminer une étude révélant que la diminution reliée à l'âge de la sécrétion d'hormone de croissance est réversible. La meilleure stratégie consiste à aider l'organisme à augmenter naturellement sa production d'hormone de croissance et de somatomédines. On évite ainsi l'établissement d'un mécanisme de défense qui mettrait fin à la sécrétion.

On trouve de prodigieuses concentrations de somatomédines dans le premier aliment qui nous est fourni, c'est-à-dire le colostrum, le lait maternel sécrété dans les jours suivant la naissance. Un peu partout dans le monde, les cliniques antivieillissement demandent des prix exorbitants pour administrer de l'hormone de croissance et des somatomédines, alors que le colostrum en contient naturellement des concentrations parfaitement équilibrées. De plus, les somatomédines contenues dans le colostrum ne sont pas dégradées, mais entrent intactes dans la circulation sanguine. Et voici une nouvelle plus réjouissante encore : on trouve du colostrum bovin sur les tablettes des magasins de produits naturels. Sachant que les deux tiers de la population auront perdu un tiers de leur masse musculaire à 60 ans, tous les moyens naturels sont bons pour donner un coup de pouce à la nature !

● ●

L'HORMONE DE CROISSANCE

De nombreuses études ont démontré les bienfaits tant physiques que mentaux qu'apportent les injections d'hormone de croissance, aux personnes âgées en particulier. Il faut toutefois se rappeler qu'un usage inconsidéré de cette hormone peut entraîner des effets secondaires tels que le diabète, l'hypoglycémie, les perturbations de l'homéostasie et les déformations. Si nombre d'utilisateurs de l'hormone de croissance n'obtiennent pas les effets recherchés, c'est en partie parce que l'organisme diminue ou stoppe sa production en sécrétant une quantité accrue de l'hormone antagoniste, la somatostatine.

Le phénomène a été décrit dans un article publié en 1988 dans le *Journal of Applied Physiology*. Les auteurs avaient suivi deux groupes d'haltérophiles d'élite qui ne présentaient au départ aucune carence en hormone de croissance. Un des groupes a reçu des injections de l'hormone, tandis que l'autre n'a reçu qu'un placebo (une substance inactive). Les deux groupes ont continué leur entraînement tout au long de l'étude. À la fin de la période expérimentale, les sujets qui avaient reçu de l'hormone de croissance présentaient une diminution marquée de l'adiposité et une augmentation du tissu musculaire; les sujets qui avaient reçu un placebo ne montraient aucun changement. Or, l'étude a aussi révélé que les injections d'hormone de croissance en suppri- maient la sécrétion naturelle. On ne doit consommer d'hormone de croissance que sous la supervision d'un médecin d'expérience.

L'hormone de croissance et la lipolyse

Comme nous le verrons dans la deuxième partie de l'ouvrage, l'orga- nisme puise à trois sources d'énergie, soit les glucides, les lipides et les pro- téines. Il convertit les glucides en glucose pour les utiliser et emmagasine le surplus sous forme de glycogène. Cette réserve ne dure que quatre ou cinq heures. Quand elle s'épuise, l'organisme commence à dégrader des lipides. Sous l'effet de l'hormone de croissance, il entre alors dans un état de demi- jeûne.

LE TRANSPORT DE LA GRAISSE

Le sang est un organe liquide. Il est composé à 50 % de globules rouges et à 50 % d'un liquide appelé plasma. Une fois le facteur de coagulation (fibrinogène) retiré du plasma, il reste le sérum, un liquide jaunâtre dont le volume est d'environ 3 L chez la personne moyenne. Le sérum contient des centaines de protéines spécialisées. Il apporte à toutes les cellules les subs- tances essentielles à la vie et il les débarrasse de leurs déchets.

L'eau et l'huile ne se mélangent pas. C'est une loi fondamentale de la chimie. Or, le sang et les liquides biologiques sont composés d'eau en majeure partie. Par conséquent, la nature se heurte au problème suivant : comment assurer le transport des lipides (les graisses, et notamment le cholestérol)? La solution : des protéines de transport appelées lipoprotéines, parmi lesquelles on compte les chylomicrons, les lipoprotéines de basse densité (LDL, pour *low-density lipoproteins*) et les lipoprotéines de haute densité (HDL, pour *high-density lipoproteins*). Le mot «densité» dénote la teneur en protéines; plus elle est élevée, plus la lipoprotéine est bénéfique.

L'albumine, la principale protéine de transport contenue dans le sérum, est une lipoprotéine de très forte densité (VHDL, pour *very high-density lipoprotein*). Si le sang contient une grande quantité de HDL et d'albumine, il est apte à transporter tous les lipides, cholestérol y compris. Sans ces protéines de transport, les lipides adhéreraient aux parois des vaisseaux sanguins et les endommageraient. D'éminents chercheurs ont surnommé l'albumine le «facteur de vie», car son abondance est garante de santé et de longévité.

L'ALBUMINE

L'albumine est la plus étudiée des protéines. Elle remplit plus de 60 fonctions, dont le transport des nutriments, l'élimination des déchets, le maintien de la stabilité cellulaire et la régulation de la réplication de l'ADN. L'albumine est aussi le moyen de transport privilégié des acides gras. Chaque molécule d'albumine manutentionne normalement deux molécules d'acide gras, encore que ce nombre puisse atteindre trois, voire six en période de stress. L'association de l'albumine et des acides gras appropriés (en concentrations adéquates) est essentielle à la croissance cellulaire. Dans l'organisme, des milliards et des milliards de molécules d'albumine transportent sans cesse des acides gras destinés aux cellules ou au foie ou provenant d'eux.

On a fort peu de chances d'être gras, difforme ou malade quand on présente une concentration optimale d'albumine. Chez l'individu moyen, on mesure seulement 40 g d'albumine par litre de sang, soit un rapport albumine-globuline (A/G) de 1,5. Chez la personne en bonne santé, la concentration d'albumine est d'au moins 50 g par litre, soit un rapport A/G de 2,0 au moins. On observe chez certaines personnes une concentration exceptionnelle de 55 g par litre, soit un rapport A/G de 3,0.

La concentration d'albumine

La concentration d'albumine dépend de la concentration des protéines produites par les réactions immunitaire et inflammatoire. Si le système immunitaire est fortement sollicité, la concentration d'albumine s'abaisse. Dans tous les hôpitaux du monde, on a tenté d'augmenter les concentrations d'albumine à l'aide de régimes riches en protéines, de suppléments et même d'injections intraveineuses. Immanquablement, on a échoué. Le seul moyen de faire de l'espace dans le sang pour l'albumine, c'est de réduire le stress imposé au système immunitaire et, par le fait même, de diminuer la quantité d'anticorps et de protéines inflammatoires. Le foie produit quotidiennement des milliards de protéines d'albumine, mais sa productivité diminue lorsque la concentration de protéines de défense augmente. En revanche, la situation se rétablit quand la quantité de protéines de défense diminue.

●●●

UNE NOUVELLE FAÇON DE VOIR L'HYGIÈNE PERSONNELLE

Les scientifiques ont constaté que les infections sont la principale cause des maladies reliées aux excès de table, à l'embonpoint et à la mauvaise condition physique. Si les groupes socio-économiques défavorisés et, à l'intérieur de ces groupes, les personnes âgées en particulier, sont sujets aux infections, c'est vraisemblablement à cause d'une mauvaise hygiène.

Le Dr Kenneth Seaton, un chercheur australien spécialiste du vieillissement et de la fonction immunitaire, a passé les 20 dernières années à élaborer un programme appelé High-Performance Hygiene System, qui permet d'élever la concentration d'albumine. Ce programme consiste essentiellement en un nettoyage des ongles, des voies nasales et des yeux. Il réduit considérablement la fréquence des infections respiratoires, des allergies et des troubles dermatologiques. L'augmentation subséquente de la concentration d'albumine entraîne à son tour une amélioration de l'état physique général et un amaigrissement. Vous voyez donc que l'hygiène exerce une influence subtile sur l'état de santé autant que sur la silhouette.

Certes, le régime alimentaire revêt une importance primordiale pour la santé globale, mais il ne constitue pas le facteur déterminant de la concentration d'albumine. Selon le Dr Kenneth Seaton, ce facteur est l'hygiène, puisque l'hygiène détermine la concentration des protéines produites par les réactions immunitaire et inflammatoire. Autrement dit, le stress imposé au système immunitaire dépend des normes d'hygiène personnelle et de l'état de santé général (la présence ou l'absence du tabagisme ou d'une maladie chronique par exemple).

Les nageurs sont probablement les athlètes qui jouissent de la meilleure condition physique. (Et si vous vous posez la question, non, je ne suis pas un nageur.) Les personnes musclées et bien entraînées sont en forme, physiquement et mentalement. Voilà sans doute pourquoi les nageurs bénéficient de concentrations d'albumine très élevées. L'exposition à la lumière solaire et la pratique régulière de la natation constituent d'excellentes habitudes d'hygiène; elles réduisent le stress imposé au système immunitaire et ménagent une place à l'albumine dans le sang.

Nous le savons tous, le cholestérol et les lipides alimentaires sont essentiels à la vie et à la santé. Comme ils ne sont pas solubles dans le sérum, ils ne peuvent entrer dans les cellules que transportés par des protéines comme l'albumine. Plus nous possédons de protéines de transport, mieux nous «gérons» le cholestérol et les lipides alimentaires. Ceux qui conservent une forte concentration d'albumine et d'autres protéines de transport peuvent consommer beaucoup de lipides sans subir de conséquences néfastes comme l'artériosclérose. Leur organisme peut même produire de grandes quantités d'énergie en convertissant les acides gras contenus dans le tissu adipeux et en les transportant jusqu'à ses milliards de cellules.

L'HORMONE DE CROISSANCE ET L'ALBUMINE

L'augmentation de la concentration d'hormone de croissance accroît l'activité anabolique (élaboration de tissu musculaire et lipolyse) dans l'organisme, car elle intensifie la synthèse des protéines. Celles-ci sont des chaînes constituées de centaines de molécules d'acides aminés qui doivent être présentes dans les quantités appropriées et assemblées dans le bon ordre. À partir d'une vingtaine d'acides aminés, l'organisme fabrique les quelque 50 000 structures protéiques qui forment les muscles (squelettiques, lisses et cardiaque), le collagène, la peau, les cheveux, les ongles, les yeux, le tissu conjonctif, le cartilage, les os, les neurotransmetteurs, les hormones et les enzymes.

Le sérum contient habituellement de faibles concentrations (0,37 g/l de sang) d'acides aminés libres. La nature a donc donné au corps humain un extraordinaire moyen d'obtenir la quantité parfaite d'acides aminés: l'albumine. Le foie en produit quotidiennement 100 millions de billions de molécules.

L'albumine humaine est une protéine de transport exemplaire. Elle contient les proportions idéales d'acides aminés (nécessaires à la croissance), pour les adultes comme pour les enfants. (Les embryons des animaux ovipares se développent dans l'œuf grâce à l'énorme quantité d'albumine que contient le blanc.) Si la quantité d'albumine présente dans l'organisme suffit tout juste au transport, la synthèse des protéines s'arrête, le métabolisme passe en mode catabolique (dégradation), et l'on ne perdra pas une once de graisse.

LA BIOCHIMIE DE LA LIPOLYSE

Les deux principaux facteurs de la santé, de l'amaigrissement et de la longévité sont une légère réduction de l'apport alimentaire et une augmentation de la production d'énergie. Je sais que je ne vous apprends rien. Lisez quand même attentivement le paragraphe suivant. Il pourrait vous catapulter sur la voie du succès en matière de perte de poids.

La période de jeûne associée au sommeil nocturne constitue probablement, si elle est adéquate, le plus efficace des moyens naturels pour favoriser la sécrétion d'hormone de croissance et de somatomédines et pour renforcer la capacité de transport de l'albumine. La nature a en effet programmé la sécrétion optimale d'hormone de croissance et d'albumine pendant la période de sommeil et de jeûne qui correspond à la nuit.

La meilleure période de jeûne et de lipolyse s'étend habituellement du repas du soir (pris avant 19 h 30) au petit déjeuner (pris vers 7 h 00), ce qui équivaut à un intervalle d'environ 11,5 heures. Normalement, la lipolyse s'amorce autour de 1 h 00, pourvu que l'on se soit endormi entre 21 h 00 et 22 h 00 et que l'on n'ait pas stimulé la production d'insuline en prenant une collation. Cet horaire se révèle excellent pour la santé, la croissance, la réparation des tissus et le ralentissement du processus de vieillissement. On obtient de meilleurs résultats encore avec une période de jeûne d'au moins 14 heures; l'hormone de croissance produit un effet maximal au bout de 16 heures. Ne serait-ce qu'en buvant du jus de fruit, du café ou du thé, on suspend le jeûne propice à la production d'hormone de croissance, et l'organisme recommence à puiser son énergie dans les sucres. Le pancréas produit de l'insuline, la lipolyse s'arrête et la synthèse des protéines s'interrompt. Voilà généralement ce qui se produit pendant le sommeil.

Le secret de l'amaigrissement n'a donc rien de compliqué, mais le transposer dans sa vie demande de la volonté. Prenez votre repas du soir avant 19 h 30, puis ne buvez que de l'eau jusqu'à votre petit déjeuner du lendemain. Même s'il ne dure que 11,5 heures par jour, le jeûne peut favoriser considérablement la perte de poids et améliorer l'état de santé. Et si, comme je vous le conseille dans la troisième partie de l'ouvrage, vous faites vos exercices à jeun le matin, vous accroîtrez la production d'hormone de croissance dans votre organisme et intensifierez même la lipolyse tout au long de la journée.

CHAPITRE 3

L'adiposité
chez l'homme

Robert a eu 50 ans il y a un mois, mais il n'avait pas le cœur à la fête. Pourquoi se réjouirait-il, du reste? Il n'est plus l'homme qu'il était à 30 ans. Finie l'époque où il pouvait passer des nuits blanches à faire la fête avec ses copains. Aujourd'hui, il n'a qu'à écourter ses nuits de deux heures pour s'en ressentir le lendemain. Finie l'époque où Robert jetait bas sa chemise par une belle journée d'été pour se parader avec un physique impeccable. Ses muscles sont à présent enveloppés d'une généreuse couche de graisse. Robert n'accepterait pour rien au monde de retirer sa chemise à la plage. Finie l'époque où il avait assez d'énergie pour passer au centre sportif après le boulot. Ces temps-ci, il rentre épuisé du bureau et trouve tout juste la force de s'affaler sur le canapé. L'exercice? Cela consiste pour lui à actionner la télécommande. Le sexe? N'en parlons même pas.

Le tempérament de Robert a changé aussi. De patient et drôle qu'il était, il est devenu soupe au lait. Sa vie familiale est une longue suite d'engueulades. Sa femme et ses enfants l'évitent. Robert incarne à présent le type même du vieux grincheux ventripotent. ∎

Robert n'est pas seul dans sa situation. Il traverse une phase de la vie que l'on appelle andropause. Si le mot vous semble familier, c'est qu'il ressemble à «ménopause», la transition correspondante chez la femme. De fait, certains emploient le terme «ménopause masculine» au lieu de «andropause». Le mot «andropause» est apparu dans la documentation médicale en 1952 et désigne la cessation naturelle de la fonction sexuelle causée par une diminution de la sécrétion d'hormones mâles.

Mais, me direz-vous, quel est le rapport entre l'andropause et l'obésité? Direct. L'andropause progresse insidieusement. Un bon matin, les gars se réveillent complètement transformés. Les hommes que l'on connaissait ont fait place à de gros messieurs grognons.

PLUS QU'UNE HORMONE SEXUELLE!

Tout comme la ménopause, l'andropause fait suite à une diminution de la sécrétion hormonale. Les hormones mâles portent le nom collectif d'androgènes. Au premier rang de la liste des androgènes, on trouve une hormone dont nous avons tous entendu parler: la testostérone, une hormone liposoluble synthétisée à partir du cholestérol. Elle est produite à 95% dans les testicules et à 5% dans les glandes surrénales. Elle assure le développement et l'intégrité des organes génitaux masculins, régit la structure de toutes les protéines de l'organisme et accomplit une foule d'autres fonctions.

Vous pensez que la testostérone est seulement une hormone sexuelle? Détrompez-vous. Elle a un effet sur toutes les parties de l'organisme, de la tête aux pieds. Si elle est naturellement abondante, elle est facteur d'énergie, de résistance, de vigueur sexuelle et de minceur. Elle participe à l'élaboration des protéines qui constituent le tissu musculaire. Elle joue un rôle de premier plan dans le développement du tissu osseux. Elle améliore le captage de l'oxygène dans l'organisme entier, contribuant ainsi à revitaliser tous les tissus (et l'on sait que l'oxygène est un ingrédient capital de la dégradation de la graisse). Enfin, la testostérone concourt à la régulation de la glycémie. Est-il besoin de rappeler qu'une glycémie élevée entraîne une mise en réserve de la graisse, puisque l'insuline alors produite empêche l'organisme d'utiliser la graisse comme source d'énergie?

La sécrétion de testostérone commence à diminuer vers l'âge de 35 ans chez l'homme. Les premiers fléchissements passent inaperçus et n'entraînent que de subtiles modifications de la composition corporelle (comme l'épaississement graduel des «poignées d'amour»). Or, la diminution de la sécrétion de testostérone ne se manifeste pas seulement par une augmentation du tour de taille. Elle entraîne également un affaiblissement du tissu musculaire et osseux. De plus, elle provoque une perte d'efficacité des organes, ce qui se traduit notamment par des trous de mémoire, de l'irritabilité et de la fatigue. Parmi tous ces effets, c'est l'augmentation notable de l'adiposité qui sert de premier signal d'alarme.

Il a été démontré que le rétablissement de la concentration optimale de testostérone augmente la masse musculaire (ce qui prépare le terrain à une diminution de l'adiposité), améliore les fonctions cérébrales (dont la mémoire, l'acuité visuelle et la concentration), protège le cœur (en contrant les facteurs de risque de maladie cardiovasculaire, dont l'hypercholestérolémie, l'hyperglycémie, les anomalies de la coagulation et le stress), renforce les os et, bien entendu, abaisse la concentration d'insuline.

La testostérone et l'obésité

On ne saurait sous-estimer l'importance de la testostérone, chez les hommes corpulents en particulier. Les testicules d'un homme adulte produisent normalement de 7 mg à 10 mg de testostérone par jour, et la testostérone est essentielle à la dégradation de la graisse. Les concentrations d'androgènes diminuent en proportion du degré d'obésité. Autrement dit, plus la concentration de testostérone est faible, plus le tissu adipeux est abondant, et vice versa.

Les chercheurs viennent de découvrir une hormone, la leptine, qui est produite par les cellules adipeuses et qui serait à l'origine du phénomène. La leptine est sécrétée dans la circulation sanguine dans des concentrations proportionnelles à l'importance des réserves de graisse. Or, la leptine peut inhiber la production de testostérone. (Voilà peut-être une des raisons pour lesquelles la puberté est souvent retardée chez les garçons obèses.)

La diminution de la sécrétion de testostérone va de pair avec une réduction de la masse musculaire, ce qui entraîne en bout de ligne le ralentissement du métabolisme anabolique (le métabolisme qui a pour résultat de fabriquer des tissus). Dans la lutte incessante contre le ralentissement du métabolisme, une concentration adéquate de testostérone est essentielle pour contrer la détérioration des mécanismes lipolytiques. Le déclin de la testostérone qui accompagne le vieillissement aggrave le problème de l'adiposité excessive puisqu'elle entraîne une perte du tissu musculaire (et, rappelez-vous, les muscles brûlent de la graisse).

En 1998, deux chercheurs suédois, R. Rosmond et P. Björntorp, ont étudié 284 hommes d'âge mûr. Ils ont découvert qu'une faible concentration de testostérone était directement ou indirectement reliée à la quantité de graisse abdominale. Les hommes bedonnants étaient plus sujets que les autres au diabète, aux maladies coronariennes, à l'anxiété et à la dépression. Par ailleurs, les scientifiques du Centre de recherche sur les maladies lipidiques, à Sainte-Foy, ont réalisé en 1997 une étude portant sur 76 hommes. Ils ont constaté qu'une concentration élevée de testostérone était corrélée avec une forte concentration de bon cholestérol (HDL), une faible concentration de mauvais cholestérol (LDL) et une faible concentration de triglycérides (les lipides qui sont transportés par la circulation sanguine et que l'organisme stocke sous la forme de graisse).

La testostérone et l'activité physique

En 1996, le *New England Journal of Medicine* fit état d'une étude portant sur trois groupes d'hommes. Les membres du premier avaient reçu de la testostérone et suivi un programme d'entraînement en résistance ; ceux du deuxième avaient reçu de la testostérone et n'avaient pas fait d'activité physique ; ceux du troisième, enfin, n'avaient pas reçu de testostérone mais avaient suivi le programme d'entraînement en résistance. Lesquels avaient gagné le plus de tissu musculaire et perdu le plus de graisse ? Ceux qui avaient reçu de la testostérone et fait de l'exercice, évidemment. Au deuxième rang, on trouvait les hommes qui avaient pris de la testostérone sans faire d'exercice.

Les effets d'une activité physique adéquate sur l'augmentation naturelle de la sécrétion de testostérone font l'objet d'un grand nombre d'études. Contrairement à ce que veut la croyance populaire, l'exercice aérobique n'est pas le meilleur qui soit. En vérité, le seul type d'activité physique dont l'effet sur la sécrétion de testostérone a été scientifiquement prouvé est la pratique d'exercices contre résistance (avec des poids).

La testostérone enchaînée

On ne saurait passer outre aux résultats de la recherche en ce qui a trait aux propriétés antigraisse de la testostérone, mais celle-ci n'est biologiquement active qu'à la condition d'être libre. Or, c'est justement la testostérone libre qui décline le plus avec le temps. Une étude réalisée en Belgique en 1999 auprès de 372 hommes de 20 à 85 ans a démontré que la diminution de la testostérone libre était associée à une augmentation de l'indice de masse corporelle et de l'adiposité. Puisque les sujets jeunes présentaient des concentrations de testostérone libre beaucoup plus élevées que celles des sujets âgés, les chercheurs ont conclu que la testostérone avait une influence favorable sur la composition corporelle.

Si la quantité de testostérone libre décroît avec l'âge, c'est à cause d'une protéine à laquelle elle se lie, la protéine porteuse des stéroïdes sexuels (ou SHBG, pour *sex hormone-binding globulin*). Une fois liée, en effet, la testostérone ne peut plus exercer ses puissants effets lipolytiques. Il n'est pas rare que la concentration de testostérone libre diminue d'environ 1 % par année après l'âge de 40 ans. Au cours d'une étude effectuée en Grèce en 1998 auprès de 52 hommes âgés, les chercheurs ont découvert que l'augmentation de la SHBG était directement reliée à l'âge chronologique. Cette hausse s'établit en moyenne à 13 % par tranche de cinq ans. Autrement dit, plus les hommes vieillissent, plus ils ont de difficulté à perdre du poids.

UN BAIN DE JOUVENCE

Les hommes veulent redevenir minces, fermes et heureux ? La solution crève les yeux : rétablir la concentration de testostérone caractéristique de la jeunesse.

Libérons la testostérone !

La nature a plus d'un tour dans son sac et offre une intéressante solution de rechange aux substances artificielles qui entraînent des effets secondaires. Il n'est pas question de recevoir des injections de testostérone pour maigrir mais bien d'exploiter les ressources mêmes du corps.

Il existe pour ce faire une herbe qui ne cause pas d'effets secondaires, *Urtica dioica*, mieux connue sous le nom de grande ortie. Une étude publiée en 1995 dans *Planta medica* indiquait que l'extrait de grande ortie empêchait la SHBG de se lier à la membrane des cellules de la prostate. Selon cette étude et d'autres encore, l'extrait de grande ortie peut en outre servir à prévenir, voire à traiter, le cancer de la prostate.

Pour ce qui est d'intensifier l'effet lipolytique de la testostérone, un certain extrait de grande ortie se révèle particulièrement prometteur. L'extrait de grande ortie contient des composés spéciaux appelés lignanes qui présentent une très forte affinité avec la SHBG. Il y a déjà quelques années, du reste, que les chercheurs étudient les effets des lignanes végétales sur les cancers hormonodépendants. Ces lignanes se lient à la SHBG à la place de la testostérone. De fait, ils la délogent carrément, lui redonnant la liberté d'exercer ses effets physiologiques.

On trouve dans le marché différentes formes de la grande ortie, mais seuls les extraits les plus récents ont une efficacité marquée sur la testostérone. Un bon nombre des produits de la grande ortie offerts en ce moment sont extraits à l'aide d'alcool ou d'éthanol. Ces procédés d'extraction ont une efficacité limitée, voire nulle. Comme vous le verrez à plusieurs reprises dans *La guerre au gras*, il existe à présent de meilleurs procédés d'extraction; recherchez donc les produits extraits au moyen d'eau ou de méthanol. Dans le cas qui nous intéresse, le procédé d'extraction fait toute la différence.

La testostérone : naturelle ou artificielle ?

En Europe, il existe depuis nombre d'années déjà des produits sûrs et efficaces pour suppléer à la production naturelle de testostérone. Ici, en Amérique du Nord, le choix est resté limité jusqu'à l'apparition toute récente du timbre et de la crème topique. On pouvait cependant obtenir des injections et des comprimés sous ordonnance.

Même si la testostérone naturelle est apparue sur le marché en 1938, les médecins n'ont jamais eu l'habitude d'en prescrire. La plupart des stéroïdes anabolisants (propices au développement des tissus) qui font une si mauvaise réputation à la testostérone sont en réalité des substituts synthétiques. Pris par voie orale en grande quantité, ils sont potentiellement dangereux et peuvent causer de graves maladies du foie de même que des défaillances viscérales.

Prise par voie orale, la testostérone est rapidement métabolisée par le foie. Aussi a-t-on mis au point des préparations injectables d'esters de testostérone, plus liposolubles, afin de prolonger la demi-vie de la substance. Une injection peut maintenir la concentration sérique normale de testostérone pendant une période de 10 à 14 jours. Parmi ces esters, on trouve le propionate de testostérone, le cypionate de testostérone et l'énanthate de testostérone.

La testostérone se présente aussi sous la forme de timbres et de crèmes. Les hommes qui ont une carence en testostérone peuvent prendre sans crainte des doses importantes de testostérone synthétisée en laboratoire en exacte conformité avec la testostérone endogène. Les produits suivants sont offerts sous ordonnance :

- Testoderm® : un timbre transdermique de testostérone.
- Androderm® : une préparation semblable à la précédente pouvant être appliquée n'importe où sur le corps.
- Un gel de dihydroxytestostérone sera mis en vente sous peu, de même que des crèmes qui dispensent très efficacement de la testostérone.

Il est important de reproduire le cycle naturel de sécrétion de la testostérone. Aussi les utilisateurs de timbres, de crèmes ou de gels doivent-ils appliquer le produit tôt le matin, puisque c'est à ce moment de la journée que la concentration de testostérone culmine normalement. La testostérone étant une substance très puissante, les utilisateurs doivent en outre consulter un professionnel de la santé afin d'obtenir une évaluation de leur cas et un suivi de leur traitement.

UNE TESTOSTÉRONE D'ORIGINE NATURELLE

L'Occident vient enfin de découvrir les vertus de l'extrait de bois d'élan, un produit que les Orientaux utilisent depuis plus de 2000 ans pour traiter une multitude de problèmes. L'extrait de bois d'élan regorge de substances prodigieuses naturellement dosées à la perfection pour exercer leurs effets : des acides aminés essentiels au métabolisme anabolique, des hormones de croissance accompagnées de facteurs de croissance et de leurs précurseurs ainsi que des anti-inflammatoires naturels appelés prostaglandines (la plupart des maladies sont associées à une surproduction de messagers inflammatoires). Dans le monde entier, les chercheurs publient des études sur les bienfaits de l'extrait de bois d'élan. L'une des plus encourageantes, effectuée en 1998 à l'Université de l'Alberta, prouvait qu'un certain extrait de bois d'élan administré par voie orale entraînait une augmentation considérable de la concentration de testostérone.

LES HOMMES VIENDRAIENT-ILS DE VÉNUS ?!

Le vieillissement, chez l'homme, ne s'accompagne pas seulement d'une diminution de la sécrétion de testostérone et d'une perte de testostérone libre. En effet, ces phénomènes vont généralement de pair avec une augmentation de la production d'œstrogènes. Chez les hommes comme chez les femmes ménopausées, la majeure partie des œstrogènes est produite à partir des androgènes. Les androgènes et les œstrogènes ont des effets métaboliques analogues dans le foie, où des enzymes convertissent la testostérone en œstradiol, ou E2, un type d'œstrogènes.

• •

Il existe trois types d'œstrogènes dans le corps humain: l'œstrone (E1), l'œstradiol (E2, l'hormone femelle active) et l'œstriol (E3). L'œstriol a des propriétés protectrices, et sa disparition cause les bouffées de chaleur et la nervosité associées à la ménopause.

L'œstradiol est à l'origine d'une bonne part des bouleversements que le vieillissement fait subir à l'organisme de l'homme. La conversion des androgènes en œstrogènes, un processus appelé aromatisation, dépend d'une enzyme, l'aromatase. Cette enzyme est au nombre des grands coupables de l'accumulation de graisse, car elle se loge principalement dans les cellules adipeuses. Plus celles-ci sont abondantes et dilatées, plus elles produisent d'aromatase. Par conséquent, il reste de moins en moins de testostérone aux hommes pour les aider à perdre du poids.

Le vieillissement entraîne chez les hommes une diminution du tissu musculaire et une augmentation du tissu adipeux. La quantité de tissu adipeux, par ailleurs, est directement proportionnelle à la quantité de testostérone convertie en œstrogènes. Moins l'organisme renferme de testostérone, enfin, moins les muscles se développent. Pour briser ce cercle vicieux, les hommes doivent chercher à inhiber la conversion de la testostérone en œstrogènes. Encore une fois, la nature leur offre différentes possibilités.

- La racine de grande ortie inhibe non seulement la liaison de la SHBG, mais également la conversion de la testostérone.
- Les isoflavones du soja inhibent la conversion de la testostérone.
- La bioflavonoïde appelée chrysine est l'un des plus puissants inhibiteurs de la conversion que l'on connaisse. Il a été démontré que la chrysine a une puissance et une efficacité analogues à celles de l'aminoglutéthimide, le médicament prescrit pour obtenir le même effet.

Bon nombre d'hommes dans la soixantaine présentent une concentration d'œstrogènes supérieure à celle de femmes du même âge (ne recevant pas d'œstrogénothérapie). On peut donc s'attendre à ce que les composés naturels destinés à augmenter la testostérone libre deviennent sous peu l'arme de base des hommes en guerre contre l'embonpoint.

CHAPITRE 4

L'adiposité
chez la femme

Le corps de la femme est fait pour stocker de la graisse. Plus que celui de l'homme? *Oui.* Des études récentes ont révélé que les cellules adipeuses de la femme n'ont ni la même apparence ni les mêmes propriétés que celles de l'homme. Voici d'ailleurs ce que les chercheurs ont découvert en comparant les cellules adipeuses des deux sexes:

- Comparativement à celles de l'homme, les cellules adipeuses de la femme sont jusqu'à cinq fois plus volumineuses.
- Comparativement à celles de l'homme, les cellules adipeuses de la femme peuvent contenir jusqu'à deux fois plus d'enzymes destinées au stockage de la graisse.
- Comparativement à celles de l'homme, les cellules adipeuses de la femme peuvent contenir deux fois moins d'enzymes lipolytiques.

Qu'est-ce que tout cela signifie? Que les femmes engraissent plus facilement et maigrissent plus difficilement. Ce n'est pas juste, certes. Sur le plan de l'adaptation et de la survie, cependant, cette injustice a porté des fruits. Que voulez-vous, l'évolution n'a pas les mêmes priorités que nous. Les femmes doivent donc composer avec l'héritage que leur a légué l'évolution.

Dès le départ, la nature joue contre les femmes dans la guerre au gras. Nous savons que le tissu musculaire est un moteur métabolique qui brûle de la graisse. Or, les hommes possèdent en moyenne 40 livres de tissu musculaire de plus que les femmes. Ils produisent en outre 10 fois plus de testostérone. Enfin, ils sécrètent jusqu'à deux fois plus d'enzymes lipolytiques.

Étant donné tous ces facteurs, la vitesse du métabolisme est plus élevée chez l'homme que chez la femme. Pendant une séance d'exercice, les hommes brûlent en moyenne 30 % plus de calories que les femmes. Et pour ajouter l'insulte à l'injure, ils en brûlent aussi 30 % de plus au repos.

UN AUTRE COUP DUR : LES ŒSTROGÈNES

La testostérone est propice à la lipolyse, pas les œstrogènes. Comme nous l'indiquions à la fin du chapitre 3, les trois types d'œstrogènes régissent les fonctions de reproduction chez la femme. Ils remplissent en outre plus de 300 autres fonctions, reliées notamment à l'élaboration du tissu osseux et au renforcement du muscle cardiaque. Certains pensent même que les œstrogènes interviennent dans les fonctions cérébrales.

Les œstrogènes sont produits par les ovaires et, dans une moindre mesure, par les glandes surrénales. Avec le temps, la sécrétion d'œstrogènes diminue. Les hormones sont les messagères de l'organisme, et celui-ci fait tout un cas de la disparition de l'une d'entre elles. Aussi veille-t-il, dès les premiers signes de diminution, à préparer ses renforts. Et ces renforts sont situés dans le tissu adipeux.

Dès le milieu de la trentaine, le corps de la femme commence à modifier sa production d'œstrogènes. C'est le début de la périménopause, une période de transition qui peut s'étendre sur 20 ans. Les subtiles variations des concentrations hormonales se répercutent non seulement sur le cycle menstruel mais aussi sur l'humeur et le poids. Dans un ouvrage intitulé *Outsmarting the Female Fat Cell*, l'auteure Debra Waterhouse écrit : « C'est pendant ces années de transition que le corps de la femme perd sa forme de sablier pour prendre celle d'un verre à bière. » Aïe !

Une fois que la concentration d'œstrogènes atteint une certaine valeur, les concentrations d'enzymes propices à la formation de graisse augmentent et celles des enzymes lipolytiques diminuent ou s'arrêtent. Les cellules adipeuses, dès lors, sont prêtes à stocker sans relâche et à se transformer en usines d'œstrogènes.

Le corps féminin est prévoyant comme la fourmi de la fable et ne néglige rien pour se faire d'abondantes réserves d'œstrogènes. Voilà donc que les cellules adipeuses se multiplient, comme si elles craignaient de ne pas suffire à la tâche. Les cellules adipeuses ne se divisent qu'à des moments précis de la vie, et la périménopause est de ceux-là.

TOUT EST DANS L'EMPLACEMENT

Chez les jeunes femmes, l'excès de graisse se loge volontiers dans les fesses, les hanches et les cuisses. À mesure que le temps passe, cependant, et que la sécrétion hormonale décroît, on dirait que la graisse se prend d'affection pour un endroit en particulier.

La première chose que l'on enseigne aux agents immobiliers est l'importance de l'emplacement. Le corps féminin a compris le principe et il privilégie l'abdomen pour ses réserves de graisse. Et, comme par hasard, il s'agit de la région la plus propice à la production d'œstrogènes. Le tissu adipeux situé dans l'abdomen isole le foie et les glandes surrénales, les organes qui, justement, participent à la production d'œstrogènes. Les événements s'enchaînent comme suit :

- Les glandes surrénales produisent un type de testostérone (oui, l'hormone mâle).
- Le foie produit une enzyme nécessaire à la conversion de la testostérone en œstrogènes.
- Les cellules adipeuses les plus proches des glandes surrénales et du foie deviennent des manufactures d'œstrogènes.

Cette astucieuse stratégie s'est développée au cours des millénaires de l'évolution pour favoriser la longévité des femmes.

Pour assurer la bonne marche du processus de fabrication, le corps féminin se débarrasse de l'équipement métabolique superflu. Après tout, pourquoi brûlerait-il de la graisse alors qu'il lui en faut une grande quantité pour produire des œstrogènes ? C'est ainsi qu'à compter de l'âge de 35 ans environ, le corps féminin se déleste d'une demi-livre de muscle par année. Le voilà prêt à y substituer au moins une livre et demie de graisse par année. Et ça ne rate pas : à partir de 35 ans, la Nord-Américaine moyenne engraisse d'une livre et demie par année.

● ●

LES FEMMES ET LA TESTOSTÉRONE

Les femmes ont besoin durant toute leur vie d'une concentration adéquate de testostérone. Dans leur organisme, cette hormone participe à l'utilisation des protéines et à l'élaboration du tissu osseux, améliore le captage de l'oxygène, concourt à la régulation de la glycémie et du cholestérol et renforce le système immunitaire. Il semble en outre que la testostérone favorise la concentration et prévienne les sautes d'humeur.

La concentration de testostérone revêt une importance particulière chez les femmes en préménopause et en ménopause. Comme chez les hommes, le vieillissement s'accompagne chez les femmes d'une diminution de la production de testostérone ou encore d'une liaison de l'hormone à des protéines. Une carence en testostérone se traduit par une diminution de la masse osseuse (ostéoporose), de l'énergie, de la libido et de la masse musculaire.

Plus les cellules adipeuses se dilatent, plus elles produisent d'œstrogènes. Ce mécanisme se perfectionne d'année en année à compter du milieu de la trentaine. Une recherche effectuée à l'Université de Pittsburgh a révélé que les femmes dotées des cellules adipeuses les plus volumineuses produisaient 40 % plus d'œstrogènes que les femmes possédant des cellules adipeuses de moindres dimensions.

JE NE PEUX PAS M'ARRÊTER DE MANGER !

Comme si les femmes n'en avaient pas déjà plein les bras avec leur capacité d'emmagasiner de la graisse, la biologie leur réserve une autre difficulté. On dirait que l'âge leur donne un penchant pour le sucre. Pourquoi en est-il ainsi ? Parce que le déclin de la production hormonale sème la pagaille. Le cerveau est le centre de commande qui régit tous les systèmes de l'organisme. À mesure que la concentration d'œstrogènes diminue, celle de certains messagers chimiques du cerveau fait de même. Parmi ces messagers se trouve la substance régulatrice de la faim, c'est-à-dire la sérotonine.

La sérotonine est un neurotransmetteur qui intervient dans l'humeur, le comportement et les sensations de satisfaction. Une faible concentration de sérotonine cause de la fatigue, des sautes d'humeur et une augmentation de l'appétit. Si encore on avait envie de légumes! Mais non, on a des rages de sucre, car le sucre peut faire monter la concentration de sérotonine. Alors les femmes bouffent jusqu'à ce que leur cerveau soit satisfait (ce qui ne dure pas). Entre-temps, elles ont ingéré un tas de calories dont elles n'ont pas physiquement besoin. Et qu'arrive-t-il à ces calories? Elles sont mises en réserve. (Tel était sans doute le but de l'opération…)

ET MAINTENANT… LES BONNES NOUVELLES

Le tissu adipeux nouvellement constitué a au moins un avantage: il produit des œstrogènes pour contrebalancer les effets de la ménopause.

Les œstrogènes produits par les cellules adipeuses apportent d'indéniables bienfaits aux femmes rondes pendant la ménopause:

• Ils diminuent les bouffées de chaleur de moitié.
• Ils favorisent le sommeil.
• Ils maintiennent la production de collagène et gardent donc la peau en bon état.
• Ils réduisent de moitié les risques d'ostéoporose.

La question cruciale est donc la suivante: les femmes peuvent-elles se pourvoir en œstrogènes autrement qu'en engraissant?

DES TRÉSORS D'ŒSTROGÈNES!

La ménopause ne touche pas que les Nord-Américaines. Comment les femmes des autres parties du monde passent-elles à travers cette période de transition? Depuis des millénaires, les Asiatiques d'âge mûr restent minces sans souffrir. Comment? Elles consomment du soja.

Le haricot de soja renferme des composés appelés phytoestrogènes (le préfixe *phyto* signifie végétal). Leurs molécules sont semblables à celles des œstrogènes humains et se lient aux mêmes récepteurs. Elles ont par conséquent des effets analogues. On connaît déjà plus de 300 plantes contenant des phytoestrogènes, et la liste s'allongera vraisemblablement dans les années à venir.

Les phytoestrogènes s'accrochent aux récepteurs à la place des œstrogènes endogènes et ils émettent dans l'organisme des signaux de 100 à 1 000 fois moins puissants.

Il a été démontré que les phytoestrogènes protègent l'organisme d'une multitude de façons. Ils atténuent les bouffées de chaleur, l'irritabilité, les sautes d'humeur et l'anxiété. Ils réduisent considérablement les risques d'ostéoporose et de cancer du sein et peuvent même prévenir les maladies coronariennes en abaissant la concentration de mauvais cholestérol (LDL). Au Japon, pays où les femmes consomment des produits du soja riches en phytoestrogènes, les risques de cancer du sein sont de 400 % moins élevés qu'en Amérique du Nord. Les Japonaises jouissent de la plus longue espérance de vie au monde et elles sont considérées comme les femmes les mieux portantes. Posséderaient-elles des gènes exceptionnels ? Peut-être, sauf qu'elles deviennent aussi sujettes que les Nord-Américaines aux maladies dès qu'elles adoptent le régime alimentaire occidental.

De tous les bienfaits des phytoestrogènes, il en est un qui nous intéresse en particulier : ces substances facilitent l'élimination de la graisse (ou préviennent son accumulation). En augmentant leur consommation de phytoestrogènes, les femmes peuvent réduire la quantité de lipides qui entre dans leurs cellules adipeuses.

SOJA SUPERSTAR

L'un des meilleurs moyens de procurer à l'organisme sa ration quotidienne de phytoestrogènes consiste à suivre l'exemple des Japonaises et à consommer des produits du soja. Le choix est vaste. Les meilleurs sont les produits adéquatement fermentés tels que le tofu ferme, le miso et le tempeh, qui ont conservé leurs constituantes essentielles. Il semble que le secret du soja réside dans une classe de composés appelés isoflavones. Le soja en contient un grand nombre, mais les trois plus bénéfiques que nous connaissions sont la génistéine, la daidzéine et la glycitéine.

● ●

LA GÉNISTÉINE

Semblable aux œstrogènes par sa structure moléculaire, la génistéine est cependant 1 000 fois moins active. Elle peut produire un faible effet œstrogénique chez une femme qui présente une carence en œstrogènes (à la suite d'une hystérectomie ou de la ménopause). Inversement, la génistéine peut aussi atténuer les effets d'une concentration excessive d'œstrogènes en se liant aux récepteurs des œstrogènes situés à la surface des cellules (celles du sein notamment).

Mise en garde: La consommation de soja et d'isoflavones de qualité comporte de nombreux avantages, mais n'est pas indiquée chez les femmes enceintes et les nouveau-nés. Plusieurs études effectuées sur des animaux aux États-Unis et en Finlande ont révélé qu'une forte consommation de phytoestrogènes pendant la grossesse, le post-partum et la lactation pouvait entraîner l'inhibition du développement sexuel du nouveau-né.

Parmi les bébés nourris au biberon aux États-Unis, 25 % environ reçoivent une préparation lactée à base de soja, une proportion supérieure à celle que l'on trouve ailleurs en Occident. On estime qu'un bébé nourri exclusivement de lait de soja reçoit en œstrogènes l'équivalent (proportionnellement au poids) d'au moins cinq pilules contraceptives par jour. En revanche, les préparations à base de lait de vache de même que le lait maternel ne contiennent presque pas de phytoestrogènes, même si la mère consomme des produits du soja. D'ici à ce que les recherches soient plus concluantes sur le sujet, pensez-y à deux fois avant de donner des aliments ou du lait à base de soja à votre enfant.

Les phytoestrogènes et les isoflavones sont contenus presque exclusivement dans la partie protéique du haricot de soja. Les fabricants ont donc mis au point des procédés qui permettent de les isoler et de les présenter sous la forme de poudres. Soyez un consommateur vigilant! Ces produits ne se valent pas tous. La qualité de la protéine de soja détermine la teneur du produit en isoflavone active. Il arrive trop souvent que les protéines de soja soient extraites à l'aide d'alcool, un procédé qui élimine la majeure partie des isoflavones actives. Nombre de produits du soja fabriqués en série, le tofu y compris, ont perdu l'essentiel de leurs isoflavones en cours de fabrication.

Les procédés japonais traditionnels de fermentation du soja conservent les isoflavones et peuvent même renforcer leurs propriétés. Pour ce qui est des poudres de protéines de soja, seul le procédé d'extraction à l'eau conserve les bienfaits des isoflavones. Vous trouverez à l'annexe II des conseils pour le choix de suppléments appropriés.

Si vous achetez des poudres protéiques, veillez en outre à ce qu'elles ne contiennent pas d'OGM (organismes génétiquement modifiés). Les problèmes potentiels associés aux OGM dépassent le cadre de cet ouvrage, mais qu'il suffise de mentionner que ces produits ont subi des modifications génétiques destinées à augmenter les rendements. Les OGM n'ont plus grand-chose de naturel et rien ne nous garantit que leur structure chimique soit compatible avec le fonctionnement du corps humain.

CHAPITRE 5

La graisse
de bébé

Les enfants grandissent et grossissent plus vite que jamais. L'obésité chez les enfants atteint des proportions épidémiques dans de nombreux pays développés et en développement. Les enfants suivent l'exemple de leurs parents et prennent à un rythme effarant des livres de graisse qu'ils conserveront probablement toute leur vie. Les adolescents obèses ont plus de 50 % de risque de devenir des adultes obèses que les adolescents minces. Si un de leurs parents est obèse, le risque grimpe à 80 %. Les statistiques révèlent que plus de 30 % de nos enfants ont de l'embonpoint et qu'un enfant sur cinq est considéré comme obèse.

Si vous avez un enfant obèse ou qui a beaucoup d'embonpoint ou si vous êtes vous-même obèse et que vous craignez de voir votre enfant suivre vos traces, rappelez-vous que les mêmes conditions (et les mêmes solutions) s'appliqueront à vous deux. En effet, les aliments appropriés, l'activité physique et le repos sont aussi les clés pour résoudre le problème des enfants qui ont de l'embonpoint. Mais les enfants sont des enfants et ils ont besoin de votre savoir-faire et de votre bon exemple pour effectuer les bons choix, ce qui revient à dire qu'ils pourront avoir besoin d'un coup de pied au derrière de temps à autre pour rester dans la bonne voie.

Répétons-le, il n'est pas question d'apparence. La santé de millions d'enfants est en jeu. Nous savons que l'embonpoint joue un rôle important dans le développement du diabète de type II. Cette forme de diabète s'appelait autrefois le diabète adulte parce que seuls les adultes en souffraient, mais on connaît aujourd'hui un début d'épidémie de diabète de type II chez les enfants.

D'OÙ CELA PART-IL ?

Il se trouve que les graines de l'obésité peuvent en fait être semées dans l'utérus. Les cellules adipeuses peuvent se diviser au cours du troisième trimestre de la grossesse et il a été prouvé qu'elles peuvent être très sensibles à une concentration accrue d'insuline. Une trop grande quantité de mauvais glucides pendant la gestation peut provoquer une sécrétion d'insuline en réaction aux glucides contenus dans la circulation sanguine. Des études ont été effectuées sur la glycémie des mères et l'effet d'une concentration élevée de glucose sur les fœtus au cours de la grossesse. Les enfants dont les mères présentaient la glycémie la plus élevée étaient nettement obèses dès l'âge de six ans. Et le poids de la mère pendant la grossesse n'y était pour rien. Il a été prouvé que la progéniture des mères diabétiques présente des modèles inhabituels de croissance du tissu adipeux :

- Le bébé est exceptionnellement gros à la naissance.
- Le bébé présente un poids normal à un an.
- La graisse commence à s'accumuler lentement dans l'organisme du jeune enfant au cours des quelques années suivantes.
- L'accumulation de graisse commence à s'accélérer à l'âge de cinq ans (chez les filles) et de six ans (chez les garçons).
- À huit ans, les fils et les filles des mères diabétiques sont considérés comme obèses selon les normes médicales.

On croit que l'insuline de la mère est incapable de traverser le placenta et de causer quelque problème que ce soit chez le fœtus, mais le problème n'est peut-être pas dû à l'insuline. On s'est rendu compte que l'insuline injectée aux mères diabétiques insulino-dépendantes augmente les anticorps de l'insuline qui, eux, traversent le placenta. Une fois dans le fœtus, les anticorps de l'insuline sont en mesure d'augmenter le rythme de croissance et de division des cellules adipeuses. Cette donnée et d'autres recherches montrent le lien entre l'alimentation au début de la grossesse et l'effet qu'elle a sur le métabolisme des graisses plus tard dans la vie.

Trop ou pas assez, lequel est le pire ?

Tout comme une consommation excessive d'aliments et de glucides pendant la grossesse prédispose l'enfant à l'obésité plus tard, la sous-alimentation pendant la grossesse peut présenter des menaces. Ainsi, une étude portant sur les mères ayant connu une carence calorique à une période critique pendant leur grossesse a révélé que de 2 % à 3 % de leurs fils étaient obèses à l'âge de 19 ans. Cela ne semble pas excessif et pourtant c'est plus de deux fois l'incidence normale d'obésité. On a également noté que les enfants dont les mères fumaient pendant la grossesse étaient sous-alimentés et qu'un nombre semblable était obèse à la fin de l'adolescence.

Les chercheurs ont déjà cru que seule la suralimentation entraînait la formation d'un nombre excessif de cellules adipeuses chez les jeunes enfants. Cette théorie a été contredite par une série d'études sur les animaux. Dans l'une de ces études, les porcs qu'on avait sous-alimentés de l'âge de 10 jours jusqu'à 1 an ont fini par devenir très gros. Ces porcs avaient un nombre normal de cellules adipeuses à l'âge de 10 jours, mais elles étaient dégonflées, si l'on peut dire, et n'ont pas été comptées au moment du compte classique des cellules à l'âge de 1 an. Mais dès qu'il y a eu un bon apport alimentaire, les cellules adipeuses des porcs se sont gonflées comme des ballons et sont devenues extrêmement grosses. Il faut ajouter que plus la période de carence était longue, plus les cellules avaient tendance à devenir grosses, une fois la période de carence terminée.

DES BIBERONS DE GRAISSE

L'industrie du lait maternisé est un intervenant important dans la guerre au gras. Plus on s'éloigne de sa source alimentaire naturelle, c'est-à-dire le lait fabriqué par les glandes mammaires de la mère, plus on risque d'être obèse plus tard. En 1993, une étude de l'école de médecine de la Case Western Reserve University a comparé des jeunes rats qui avaient été nourris à l'aide d'un lait de remplacement à teneur élevée en glucides (56 % de calories) et un groupe témoin dont les sujets allaités par la mère avaient reçu du lait qui contenait seulement de petites quantités de glucides (8 % de calories). Les rats ayant reçu le lait de remplacement ont souffert d'embonpoint. C'est la source des calories plutôt que l'apport calorique global pendant la période d'allaitement qui peut entraîner des effets durables sur le métabolisme des graisses dans les années subséquentes et mener à l'obésité.

Le Dr K. Dewey et ses collègues de l'Université de Californie ont découvert que l'enfant qui avait été longtemps allaité et qui avait commencé plus tard à consommer des aliments solides était mieux protégé contre l'obésité à l'âge adulte. En effet, 95 % des personnes obèses interrogées n'avaient pas été allaitées par la mère. Des recherches ont montré que les enfants nourris au sein étaient plus minces que les enfants nourris à la formule de lait à l'âge de un an. Les formules de lait rendent les enfants plus gras parce qu'elles contiennent beaucoup plus de glucides, ce qui accroît l'apport énergétique et augmente la libération d'insuline. Le verdict est tombé : une exposition en bas âge à une alimentation riche en glucides prédispose l'enfant à l'embonpoint et à l'obésité plus tard.

UNE PAUSE À LA PUBERTÉ

Un abus de glucides et une sécrétion excessive d'insuline dans la petite enfance peuvent affecter l'organisme plus tard ; un des impacts possibles est l'accélération de la période de transition entre l'enfance et l'âge adulte. Des recherches épidémiologiques ont révélé que l'âge moyen de la puberté chez les filles a baissé de 4 à 6 ans au cours des 100 dernières années. Il y a un siècle, la fille était pubère en moyenne à l'âge de 17 ans. Aujourd'hui, les petites filles deviennent des femmes entre 11 ans et 13 ans. L'activité sexuelle précoce sans oublier le risque de grossesse précoce sont des conséquences sociales évidentes du phénomène et l'obésité en est une autre.

Le Dr Douglas L. Foster, qui étudie l'obésité, a indiqué, au cours d'une rencontre portant sur la biologie expérimentale, que la concentration de glucose (sucre) dans le sang est la véritable responsable de la puberté précoce. Dans sa recherche, le Dr Foster a réussi à retarder la puberté chez des moutons en réduisant la glycémie et il a été capable de provoquer une puberté précoce en l'augmentant. La chute précipitée de l'âge de la puberté est étroitement liée à l'augmentation importante de la consommation d'aliments riches en glucides au cours du dernier siècle. De nombreux parents se plaignent que leurs enfants, en particulier les filles, grandissent trop rapidement. En établissant un lien entre une alimentation riche en glucides et une puberté précoce, nous tenons une autre pièce du casse-tête du sucre.

LES ENFANTS ET LA GUERRE AU GRAS

La petite enfance est la période la plus cruciale pour établir des habitudes alimentaires antigraisse. Quoi faire s'il y a dans une même famille un enfant ayant de l'embonpoint et deux enfants ayant un poids normal ? Il ne faut pas nécessairement priver l'enfant corpulent pendant que les deux autres s'empiffrent de frites, de boissons gazeuses et de céréales sucrées. Tous les enfants doivent acquérir de saines habitudes de vie et le combat doit se livrer *en famille*. Si les membres de la famille continuent de s'empiffrer d'aliments favorisant la formation de graisse, de faire peu ou pas d'activité physique et de brûler la chandelle par les deux bouts, tous les enfants poursuivront ce comportement à l'âge adulte. Tôt ou tard, ils en subiront les conséquences. Des études pédiatriques laissent entendre que l'apnée obstructive du sommeil se rencontre chez environ 17 % des enfants et des adolescents obèses. Les problèmes du sommeil chez les obèses pourraient être une cause majeure de difficultés d'apprentissage et d'échecs scolaires.

Les enfants veulent plein de choses. Ils veulent les céréales givrées qu'on annonce à la télé tous les samedis matin. Ils veulent des bonbons pendant la récréation. Ils veulent le gros sac de grignotines en regardant leur film préféré. Mais savez-vous quoi? Les parents n'ont pas à céder à toutes les volontés de leurs enfants. Au lieu de leur donner ce qu'ils veulent, offrez-leur ce dont ils ont besoin. Les parents doivent renseigner leurs enfants et les guider dans la bataille visant à leur épargner une vie d'obésité et de mauvaise santé.

Nous buvons plus de boissons gazeuses sucrées que jamais. Les enfants sont portés à boire des boissons riches en glucides. Ces boissons, moût fermenté pour le ventre, comprennent non seulement les boissons gazeuses (comme les colas) mais aussi les jus de fruits et les soi-disant boissons naturelles, remplies de sirop de maïs, de fructose, de maltodextrine, de polymères de glucose, de dextrose et d'autres ingrédients de ce genre. L'insuline fait des heures supplémentaires pour garder les enfants gros; il faut éliminer les sodas, les croustilles, les frites et les bonbons et les remplacer par du lait à 1 % ou de l'eau, des noix et des fruits comme des pommes et des oranges. Est-ce facile? Non. Les enfants vont-ils gémir et rouspéter? Probablement. Mais comme tout ce qui vaut le temps qu'on y met, nous devons faire ce qu'il faut pour la santé de nos enfants.

N'allons-nous pas les pousser à exagérer?

Qu'en est-il des problèmes de l'alimentation chez les adolescents? Notre intervention ne fera-t-elle pas que nos enfants prendront conscience de leur poids au point de s'imposer des interdictions exagérés? La réponse est non, tant que nous abordons l'embonpoint chez les enfants de façon non menaçante. D'abord, nous ne devons pas nous inquiéter outre mesure du poids; il faut plutôt se préoccuper du tissu adipeux et de ses répercussions sur la santé. Les enfants corpulents ne sont pas des monstres génétiques. Les enfants corpulents ont rarement une thyroïde paresseuse. Non, les enfants corpulents mangent de mauvais aliments en trop grande quantité et ils ne font pas suffisamment d'activité physique. Les parents inquiets doivent manger et faire manger à leurs enfants les aliments qui stimuleront les mécanismes lipolytiques. Ensuite, il faut décourager les enfants de faire des activités sédentaires comme regarder la télévision, s'adonner à des jeux vidéo ou naviguer dans Internet et les encourager à faire des activités vigoureuses qui les feront bouger.

CHANGER LA VIE DES ENFANTS QUI ONT DE L'EMBONPOINT

Avant de tout chambouler la vie d'un enfant et de lancer une attaque contre le gras, il est important de prendre le temps de préparer le changement avec l'enfant ayant de l'embonpoint. Il faut du temps et de l'effort pour changer ses habitudes de vie. Le tissu adipeux n'apparaît pas du jour au lendemain; il ne faut donc pas s'attendre à ce qu'il disparaisse aussi rapidement. Il faudra du temps pour apporter des changements dans la vie de l'enfant. Et cela est particulièrement important chez les enfants plus âgés.

Les adolescents et les jeunes adultes doivent prendre une part active dès le départ dans leur programme personnel de perte de graisse. La première chose qu'il faut se rappeler, c'est de ne jamais faire suivre à un enfant un régime hypocalorique. Le métabolisme de l'enfant est particulièrement sensible à la carence. Si ses cellules se rendent compte de la privation d'aliments, les enzymes propices à la formation de graisse passeront à l'action. Et, lorsque l'enfant cessera son régime, ses enzymes lipolytiques, ses protéines de transport et ses hormones seront tellement épuisées qu'elles favoriseront le retour de la graisse. Cela vous dit quelque chose? Votre mantra et celui de votre enfant doit être le suivant: «Ne jamais se mettre au régime, ne jamais se mettre au régime, ne jamais se mettre au régime.»

VIVE L'EXERCICE!

Les enfants d'aujourd'hui sont moins actifs que ceux des générations précédentes. La plupart des enfants prennent l'autobus pour aller à l'école et en revenir. Dans une bonne partie des écoles nord-américaines, le cours de gym est chose du passé. De nombreux enfants sont élevés dans un foyer où les deux parents travaillent. Dans les grandes villes, il peut être dangereux de jouer dehors en raison de l'augmentation de la criminalité, des gangs de rue et de la circulation automobile. Pour ces raisons, beaucoup d'enfants se rendent directement à la maison, verrouillent la porte et allument le téléviseur.

Le bâton de hockey a été remplacé par la manette du jeu vidéo. Le gant de baseball a été remplacé par un sac de croustilles. La navigation dans le Web exige peu d'effort physique. Que pouvons-nous y faire?

Comme parents, nous devons faire faire à nos enfants (surtout ceux qui ne sont pas en forme ou qui présentent de l'embonpoint), l'exercice physique nécessaire pour augmenter leur musculature et stimuler la lipolyse; nous devons aussi les obliger à respirer plus profondément et à transpirer. C'est notre devoir de veiller à ce que nos fils et nos filles bougent. Cela peut vouloir dire de se joindre à eux pour une séance d'exercices à la maison, de trouver un gymnase qui offre un programme d'activités physiques pour les enfants (ils sont rares) ou de les inscrire à un programme de conditionnement physique après les heures de classe. Comme toute cette idée de conditionnement peut être nouvelle, vous devrez faire preuve de créativité pour que le programme réussisse. Cela exige beaucoup de travail, du dévouement et de l'ingéniosité pour que les enfants soient contents d'être plus actifs physiquement. Mais, soyez assuré d'une chose, si nous ne nous occupons pas du niveau d'activité physique de nos enfants, ils n'atteindront certainement pas leur objectif qui est de perdre de la graisse. L'activité physique est un volet essentiel à l'augmentation de l'activité cellulaire. Et n'oubliez pas: une cellule active est une cellule qui brûle de la graisse.

SI VOUS TOMBEZ, RELEVEZ-VOUS!

J'ai remarqué que de nombreux parents ayant un enfant obèse hésitent à inscrire leur enfant à un sport structuré de peur qu'il reste en arrière et qu'il soit ridiculisé par les autres jeunes athlètes. Cette inquiétude est valable. Les sports organisés peuvent insister énormément sur la victoire et moins sur le plaisir, la participation et le conditionnement. L'enfant ayant de l'embonpoint peut être lésé lorsqu'il participe à des sports comme le football, le soccer, le volleyball, le softball, le hockey ou qu'il fait de la gymnastique. Cependant, cela ne signifie pas que l'enfant soit condamné à rester assis sur le banc. Les enfants ayant de l'embonpoint, plus encore que les autres, doivent bouger. Ils ont davantage besoin d'activité physique que les autres enfants parce qu'il sera encore plus bénéfique pour eux de perdre de la graisse et d'améliorer leur condition physique. Un programme structuré reste nécessaire, mais les enfants corpulents doivent se sentir à l'aise avec leur corps et leur condition physique avant de commencer à participer à des sports organisés. L'activité physique doit toujours être amusante et productive pour eux s'ils veulent obtenir le résultats attendu.

L'école offre probablement de bons programmes d'exercices. Si ce n'est pas le cas, il est temps de sensibiliser le milieu scolaire et les parents au besoin de mettre sur pied des activités physiques spéciales à l'intention des enfants trop gras ou qui ne sont pas en forme. Une mise en garde s'impose tout de même. Aucun enfant ne veut être étiqueté, qu'il ait des troubles d'apprentissage, un handicap physique ou qu'il soit trop gros. Un programme d'activité physique destiné aux enfants corpulents ne doit pas donner l'impression de s'adresser seulement à ce type d'enfant, sinon les autres enfants risquent de se moquer d'eux. Nous devons renforcer l'estime de soi de ces enfants en même temps que leur bonne forme physique.

Antoine n'a que 12 ans mais il est obligé de rester seul à la maison après la classe, jusqu'au retour de sa mère vers 17 h 30. Antoine dispose donc de deux heures pour faire ses devoirs, regarder la télé et se gaver de jus, de croustilles et de biscuits. Il adore les collations et son excédent de graisse le prouve bien. Mais que faire ?

Antoine a tenté de suivre des programmes après la classe, mais comme il avait de l'embonpoint, il ne se sentait pas à sa place. Et le quartier de la ville où il habite n'est plus aussi sûr qu'avant, il est donc dangereux de jouer dehors. Les parents d'Antoine préfèrent qu'il rentre à la maison et qu'il verrouille la porte. ■

Antoine n'est pas unique. Il fait partie des quelque 7 millions d'enfants en Amérique du Nord de moins de 13 ans qui sont seuls à la maison après l'école. Pour aider Antoine à améliorer sa santé et sa condition physique, il faudra une planification consciencieuse. Les familles des alentours pourraient peut-être se parler et former un groupe de jeu après l'école : les parents qui sont à la maison pourraient s'occuper à tour de rôle des enfants ou, lorsque les parents d'Antoine reviennent à la maison, toute la famille pourrait participer à un programme de conditionnement physique collectif. L'objectif, c'est la créativité et l'activité physique.

Il faudra peut-être réduire les heures de télévision après l'école. Une recherche révèle que l'augmentation du temps que les enfants consacrent à la télévision, aux jeux vidéo et à Internet a contribué à l'augmentation de l'obésité chez les enfants. Lorsque ces activités de loisirs sont éliminées et remplacées par des activités plus physiques comme le basketball, l'escalade intérieure ou simplement la tague, les enfants qui ont de l'embonpoint perdent leur excès de graisse et sont en meilleure santé. Donner aux enfants qui sont seuls à la maison la responsabilité de s'occuper non seulement de leur emploi du temps, mais aussi de leur santé et de leur condition physique sera un grand pas dans la bonne direction. Les parents doivent d'abord donner l'exemple en aidant leurs enfants à voir la lumière au bout du tunnel parce que personne ne veut voir un enfant corpulent devenir un adulte obèse.

De quoi nourrir sa
réflexion

Nous savons tous que les aliments que nous consommons jouent un rôle majeur quant à la quantité de graisse que nous arborons, mais la question demeure : «Comment les aliments nous rendent-ils gros?» Bien que les aliments que nous consommons contiennent un éventail complet de micronutriments comme les vitamines, les minéraux et les enzymes, la plupart consistent en ce qu'on appelle des macronutriments, soit les glucides, les lipides et les protéines.

Les macronutriments contiennent l'énergie (mesurée en calories, une unité d'énergie thermique) que nous utilisons pour constituer et renouveler notre organisme. Ils réapprovisionnent également nos réserves d'énergie, notamment le glycogène emmagasiné dans les muscles et le foie (sucre de réserve) et la graisse (triglycérides). Les glucides et les protéines que nous consommons contiennent chacun quatre calories par gramme, alors que les lipides contiennent environ neuf calories par gramme. Certains aliments, comme le steak de surlonge, qui contiennent une grande quantité de protéines et de lipides, sont évidemment plus énergétiques qu'une carotte qui contient des glucides et beaucoup d'eau. Nous faisons des choix parmi ces variétés d'aliments tous les jours. Cela explique la prise de poids : nous choisissons (et consommons) plus de calories que nous ne pouvons en utiliser.

La plupart d'entre nous sont nés avec la capacité de brûler la graisse efficacement mais d'autres, malheureusement, ont un organisme paresseux dès le départ. Certaines personnes sont si rapides à brûler la graisse que ce qu'elles mangent ne semble pas avoir d'importance. En vieillissant, selon la façon dont nous traitons notre organisme, nous pouvons conserver un système lipolytique puissant et nous garder mince ou nous retrouver avec un système qui fonctionne au sucre et accumule l'excédent de combustible. La génétique commande en quelque sorte notre sort, mais nous avons quand même la capacité d'entraîner notre organisme à faire la guerre au gras. La consommation de bons aliments au bon moment nous y aidera. Ce n'est pas uniquement la quantité d'aliments que nous mangeons qui détermine notre embonpoint; le type d'aliments et le moment où nous les consommons ont aussi leur importance.

LE FORMAT Y EST POUR QUELQUE CHOSE

À propos de la quantité, rappelez-vous le temps où vous pouviez facilement tenir une brioche à la cannelle dans la main. Ce n'est plus possible. Aujourd'hui, les muffins, les brioches et les beignes qu'on nous sert dans les restaurants de type familial sont de la taille d'une balle de softball et comptent 450 calories chacun. Il existe un lien très étroit entre l'augmentation des repas pris à l'extérieur de la maison et la prise de poids; et les restaurateurs sont les coupables. Dans un pays d'abondance, nous en voulons beaucoup pour notre argent. La nouvelle cuisine? Très peu pour nous! Nous voyons arriver un petit plat à table dont la présentation est parfaite, mais dont la portion est minuscule, et nous nous exclamons: «Où est le bœuf?» Aujourd'hui, nous voulons plein de nourriture et les restaurateurs sont heureux de nous l'offrir. Des repas extra-gros pour des gens extra-gros. Mais que signifie réellement «extra-gros»? Cela signifie plus de calories, plus d'insuline et, en bout de ligne, plus de tissu adipeux. Même dans les restaurants chic, nous nous attendons à des assiettes remplies de pâtes, de riz, de pommes de terre et de pain. Et que faisons-nous? Nous vidons nos assiettes.

Dans une étude de 1999 portant sur 129 femmes, celles qui mangeaient le plus souvent à l'extérieur consommaient en moyenne 280 calories de plus par jour que celles qui soupaient à la maison. Cela signifie qu'une grande quantité d'énergie est emmagasinée sous la forme de graisse. Une expérience intéressante réalisée par le réseau CBS et l'Université de l'Illinois a démontré le degré de gloutonnerie auquel nous nous adonnons. Pendant une séance de cinéma en après-midi, chaque client a reçu un sac de maïs éclaté. On a remis aux cinéphiles du groupe I un grand sac et à ceux du groupe II, un sac extra-grand. Les chercheurs ont découvert que les personnes qui avaient eu le sac extra-grand ont consommé 50 % plus de maïs que celles qui avaient eu un plus petit sac (relativement parlant). Qu'en est-il donc? Cela signifie que nous mangerons tout ce qu'on nous sert, sans objection.

Non seulement nous ne nous opposons pas aux grosses portions qu'on nous sert, mais, quand vient notre tour dans la file d'une chaîne de restaurant-minute, nous les réclamons. Nous voulons toujours en avoir le plus possible pour notre argent. Nous jetons un coup d'œil au menu affiché et disons: «J'en veux une portion extra-grande.» Nous choisissons le hamburger double, la super portion de frites et la boisson gazeuse grand format contenant suffisamment de calories et d'aliments à forte teneur en glucose pour faire monter notre concentration d'insuline à des sommets vertigineux. Voilà qui nous amène à parler de l'un de nos pires ennemis malgré son air innocent: le bonbon liquide (alias la boisson gazeuse).

Si vous voulez vraiment donner beaucoup de calories à vos cellules adipeuses, il vous suffit de boire une boisson gazeuse remplie de sucre, de caféine et de phosphore. Il y a des années, une bouteille de boisson gazeuse faisait 236 ml; ce n'est plus le cas aujourd'hui. On trouve couramment des verres contenant plus d'un litre de pur rafraîchissement. Pourtant, nous ne considérons habituellement pas les boissons gazeuses saturées de sucre comme une graisse liquide. Nous comptons les aliments solides que nous consommons, mais nous oublions le bonbon liquide. Les enfants qui boivent en moyenne 355 ml de boisson gazeuse par jour consomment 200 calories de plus que les autres. Et comme bon nombre d'enfants boivent des boissons gazeuses au lieu du lait ou de l'eau (les boissons gazeuses se vendent deux fois plus que le lait), il y a de fortes probabilités qu'ils boivent beaucoup plus que 355 ml d'une boisson sans aucune valeur nutritive.

De nombreuses boissons sucrées artificiellement rendent les gens irritables soit à cause de l'édulcorant lui-même, soit à cause de la caféine que les fabricants y ajoutent. Si vous ne croyez pas que la caféine a un effet sur la consommation de calories, pensez-y bien. On ajoute de la caféine aux boissons gazeuses pour nous donner envie d'en boire plus. Plusieurs études ont montré qu'à peine 100 mg de caféine par jour créeront une dépendance à la boisson gazeuse. Et vous éprouverez des symptômes de sevrage pendant quelques jours lorsque vous réduirez votre consommation de ce type de boisson. Cette dépendance fait que personne ne se prive et que tout le monde continue de vider ses super grands verres. Une portion de 950 mg de l'un des colas populaires contient entre 98 mg et 125 mg de caféine, assez pour développer une accoutumance. Les enfants sont encore plus à risque parce que, même s'ils sont plus petits, ils peuvent en boire un grand verre comme si c'était de l'eau; cette consommation a des effets néfastes comme la nervosité, le mal de ventre et la nausée. De plus, comme si ce n'était pas suffisant, les phosphates ajoutés aux diverses boissons gazeuses favorisent la formation de calculs rénaux.

Buvez d'abord de l'eau, du thé glacé (décaféiné, si possible) ou, du moins, choisissez un petit format de boisson gazeuse au lieu du format le plus grand. De plus, évitez à tout prix les boissons à forte teneur en caféine comme Mountain Dew ou Surge qui contiennent plus de 50 mg de caféine par 355 ml. Ce sera difficile pendant deux ou trois jours de changer vos habitudes mais, par la suite, vous devriez pouvoir vous en passer. Débarrassez-vous des boissons gazeuses et commencez à perdre de la graisse.

CHAPITRE 6

Premier macrocombustible :
les glucides

Les glucides proviennent principalement des végétaux et les produits finaux sont les graines, les fruits, les légumes et les glucides raffinés comme la farine et le sucre. Pour que les aliments deviennent des substances utilisables par l'organisme, leur matière doit se dégrader en leurs particules les plus petites : les molécules. Les glucides se dégradent en sucres simples comme le glucose et chaque glucide a un équivalent exprimé en sucre. Par exemple, une pomme de terre au four contient environ 50 g d'amidon, ce qui est l'équivalent d'environ 60 ml de sucre. Ces glucides raffinés (et les sucres) élèvent rapidement la concentration de glucose dans le sang et sont l'élément qui contribue le plus à l'élévation de la concentration d'insuline. Comme nous l'avons vu au chapitre 2, une forte concentration d'insuline est le cauchemar de toute personne ayant de l'embonpoint. L'organisme n'a pas accès à la graisse comme source de combustible tant que la concentration d'insuline est élevée. Et une très large proportion des gens, en particulier les personnes qui ont de l'embonpoint, ont une forte concentration d'insuline au repos la plupart du temps, sinon tout le temps. En fait, les personnes corpulentes ont une forte concentration d'insuline non seulement dans le sang, mais aussi dans les cellules, ce qui ralentit leur métabolisme.

Il a été prouvé que l'excès d'insuline nuit aux objectifs de la guerre au gras et cause beaucoup de tort. Dans une expérience faite en 1996, on a donné aux sujets des substances destinées à augmenter la concentration d'insuline et la glycémie, ainsi qu'une infusion de divers acides gras. L'expérience a montré que le glucose et l'insuline déterminent l'efficacité avec laquelle les graisses sont utilisées comme combustibles ; des concentrations élevées de glucose et d'insuline ont réduit à 45 % de la normale la concentration de l'enzyme qui transporte les acides gras à dégrader.

Une alimentation riche en glucides crée un cercle vicieux. Du point de vue musculaire, des années de mauvaise alimentation combinée à un manque d'exercice et au stress, ont aplati les cellules musculaires. Semblables à un marais stagnant pratiquement dépourvu de vie, nos cellules musculaires ne fonctionnent plus comme elles le devraient. L'excédent de glucose sanguin ne peut pénétrer dans les cellules musculaires dégonflées et il flotte dans la circulation sanguine sans aucun endroit où aller. Un cri d'alarme résonne dans le pancréas : « Sécrète plus d'insuline – IMMÉDIATEMENT ! » Pendant des heures, parfois toute la journée, la concentration d'insuline s'élève pour contrer l'attaque de glucose dans le sang. Comme nous le savons, cela arrête complètement la lipolyse. En réalité, une grande partie du repas se trouve bloquée dans les cellules adipeuses. Rien n'a été brûlé, tout a été conservé.

La vérification du taux de glycémie au moment d'un examen de routine ne détectera pas cette forte concentration d'insuline. Nous n'afficherons pas une glycémie élevée tant que le pancréas sécrétera de grandes quantités d'insuline. Par rapport au taux de glycémie, tout va bien – pas de diabète. Pourtant, une forte concentration d'insuline peut endommager le système cardiovasculaire et nous garder gros. Ainsi, 95 % des personnes atteintes de diabète de type II ont de l'embonpoint parce que leur concentration d'insuline est restée élevée pendant une longue période : leur pancréas envoyait de l'insuline pour combattre l'excès de glucose dans le sang. Avec le temps, les cellules qui fonctionnaient mal avec l'insuline sont devenues résistantes à l'insuline. Résultat : le diabète de type II.

Les personnes souffrant de maladies cardiovasculaires présentent fort probablement une forte concentration d'insuline. De plus, la consommation excessive de glucides n'augmente pas seulement la concentration d'insuline. L'abus de mauvais types de glucides fait également augmenter les taux de triglycérides et de cholestérol.

SIMPLEMENT COMPLEXES

Les glucides que nous consommons et qui se transforment trop rapidement en glucose dans le sang sont un autre ennemi dans la guerre au gras. Pendant longtemps, les chercheurs ont pensé que les sucres simples (qu'on trouve dans les fruits, les légumes, le lait et les produits laitiers) étaient absorbés dans la circulation sanguine plus rapidement que les autres sucres; cependant des chercheurs australiens et canadiens, pionniers de la recherche sur les glucides et la glycémie, ont découvert le contraire dans les années 1980. Les glucides complexes – le pain, les pommes de terre, les pâtes et le riz que nous vénérions comme les bastions de la santé et que nous consommions comme aliments de base – faisaient en fait grimper considérablement la concentration d'insuline, et ce, plus encore que les glucides simples.

De nos jours, de nombreux aliments riches en glucides sont classés selon la rapidité avec laquelle ils sont absorbés dans la circulation sanguine, sur une échelle de 0 à 100, ce qu'on appelle l'indice glycémique. Cet indice mesure la vitesse à laquelle les glucides se dégradent et que le sucre est absorbé dans la circulation sanguine. Certains se dégradent rapidement au cours de la digestion et élèvent la glycémie à des niveaux dangereux. Ces glucides sont ceux dont l'indice glycémique est le plus élevé. Le glucose, à une dose de 50 g, sert d'étalon et on lui donne un indice de 100 parce qu'il élève la glycémie très rapidement. Les autres glucides sont évalués par rapport au glucose.

• •

L'INDICE GLYCÉMIQUE

L'indice glycémique ou IG est une classification précise de divers aliments à partir de leur effet immédiat sur la concentration de glucose dans le sang. L'IG mesure l'élévation de la glycémie sur une période de deux ou trois heures après un repas.

Le Dr David Jenkins, professeur de nutrition à l'Université de Toronto, a été le premier à mettre au point le concept de l'indice glycémique pour déterminer les aliments les mieux appropriés aux personnes souffrant de problèmes associés à la glycémie (diabète). En mars 1981, le Dr Jenkins a publié une étude innovatrice sur l'indice glycémique des aliments (*Glycemic Index of Foods: A Physiological Basis for Carbohydrate Exchange*). Au cours des 15 années qui ont suivi, des centaines d'études cliniques au Royaume-Uni, en France, en Italie, au Canada et en Australie ont prouvé la valeur de l'indice glycémique.

Pour obtenir l'indice glycémique d'un glucide donné, on fait ingérer 50 g de l'aliment à un sujet, puis on mesure la glycémie de celui-ci. Si le glucide fait rapidement monter la glycémie, on lui attribue un indice glycémique élevé. Nous devons consommer les glucides à indice glycémique élevé seulement en petite quantité, car ils stimulent beaucoup trop la production d'insuline, ce qui réduit la combustion des calories (épuise le pancréas et endommage le cœur). Les glucides à faible indice glycémique peuvent aider à conserver la glycémie basse, afin qu'un plus grand nombre de calories soient brûlées.

Vous trouverez une liste choisie de glucides regroupés selon leur classification glycémique dans les tableaux de la section «L'indice glycémique des aliments». Il s'agit d'une courte liste; il existe évidemment une grande quantité d'autres aliments à prendre en considération. Cela vous donnera une bonne indication des aliments à consommer et des aliments qu'il faut manger en moins grande quantité (ou éviter carrément). De nombreux aliments aimés de tous, notamment certains aliments qu'on avait dit être sains, se retrouvent dans le groupe des aliments à indice glycémique élevé. Tenez compte de l'indice glycémique et vous serez mieux à même de reconnaître vos alliés et vos ennemis dans la guerre au gras.

Le fait qu'un aliment présente un indice glycémique élevé ne signifie pas qu'il faille le bannir complètement. Nous pouvons combiner une petite quantité d'aliments à indice glycémique élevé et une grande quantité d'aliments à faible indice glycémique pour établir un équilibre. Des aliments comme les carottes, qui ont un indice glycémique assez élevé, sont bonnes à consommer avec modération. Rappelez-vous qu'une carotte contient énormément d'eau et qu'il faudrait en consommer six pour obtenir un regain d'énergie significatif. Les glucides contenant une grande quantité de calories, comme le pain, les pâtes, le riz et les pommes de terre, doivent être consommés avec modération. Il est important de comprendre aussi que la cuisson de l'aliment modifiera son indice glycémique. Par exemple, des pâtes cuites *al dente* ou des pâtes plus dures mettront plus de temps à se dégrader que des pâtes molles. Habituellement, plus le temps de cuisson de l'aliment est long, plus rapide est sa dégradation en sucres.

• •

L'INDICE GLYCÉMIQUE DES ALIMENTS

Les aliments qui suivent sont regroupés selon leur indice glycémique. Les meilleurs choix de glucides se trouvent dans le groupe à faible indice glycémique. Remplissez le frigo et le garde-manger d'aliments à faible indice glycémique. Débarrassez-vous des pains raffinés et des céréales pour petit déjeuner, des pommes de terre au four ou en purée, du riz blanc, des gaufres, des galettes de riz, des croquettes de pommes de terre et des frites. La consommation d'aliments à indice glycémique élevé augmente la sécrétion d'insuline et réduit la sécrétion de glucagon ; cela empêche la lipolyse. Tout aliment à indice glycémique élevé doit être consommé en petite quantité et combiné à des protéines et à des graisses alimentaires pendant le repas. La seule exception est la boisson à indice glycémique élevé à consommer après avoir fait de l'exercice. Mais rappelez-vous que même un aliment à faible indice glycémique peut augmenter votre tissu adipeux si vous en mangez trop.

Aliments à faible indice glycémique : de 20 à 49 (alliés)

Toutes les céréales de son	Pamplemousses	Pois
	Raisins	Prunes
Pommes	Crème glacée	Soja
Jus de pomme	Lait	Fraises
Orge	Céréale müesli	Riz sauvage
Baies	Haricots ronds blancs	Yogourt
Pois à hile noir	Oranges	(sans sucre ajouté)
Boulghour	Pêches	
Haricots jaunes	Arachides	
Cerises	Poires	

Aliments à indice glycémique modéré : de 50 à 69 (agents doubles : en limiter la consommation)

Riz basmati	Avoine	Pain au levain
Betteraves	Pâtes (bien cuites)	Saccharose
Sarrasin	Pois	(sucre de table)
Carottes	Croustilles	Patates douces
Céréales (à faible	Pommes de terre	Pain de blé entier
teneur en sucre)	(rouges, blanches)	(100 % farine moulue
Maïs en épis	Pain pumpernickel	sur pierre)
Haricots de Lima	Raisins secs	

Aliments à indice glycémique élevé : De 70 à 100 (à consommer à vos propres risques)

Abricots	Pains à hamburger	Boissons gazeuses et
Bagels	et à hot-dog	boissons pour sportifs
Bananes (mûres)	Miel	(sucres ajoutés)
Céréales pour petit	Bonbons haricots	Gaufres pour grille-pain
déjeuner (raffinées	(*jelly beans*)	Melon d'eau
avec sucre ajouté)	Maltose	Pain blanc
Croustilles de maïs	Mangues	Riz blanc
Flocons de maïs	Muffins (à cause de la	Pain de blé entier
(Cornflakes)	farine transformée)	
Sirop de glucose	Crêpes	
déshydraté	Papaye	
Craquelins	Panais	
et pains plats	Riz ou blé soufflé	
Beignes	Pomme de terre	
Glucose et polymères	(au four)	
de glucose (boissons à	Galettes de riz	
base de maltodextrine)	Blé filamenté	

CHOISIR LES GLUCIDES EN FONCTION DE L'INDICE GLYCÉMIQUE

L'un des trucs pour que la glycémie reste basse et que l'insuline soit sous contrôle, c'est de se nourrir comme un homme des cavernes. Cela signifie de manger comme à l'époque où la seule nourriture à la disposition de l'homme était naturelle, non transformée. Les aliments au début de la chaîne alimentaire, les fruits et les légumes non transformés qui sont riches en fibres et en eau, sont ceux dont l'indice glycémique est le plus bas. Le riz, les pains et les galettes de riz considérablement transformés, les aliments que nous avons «améliorés» ou qui sont entièrement artificiels, ont un indice glycémique très élevé.

Les pires glucides à indice glycémique élevé sont dispersés, comme des mines terrestres, tout autour de nous sous la forme de grignotines sans gras. Sans gras ne signifie pas sans calories et, le plus souvent, cela signifie que l'aliment a un indice glycémique élevé. Lorsque vous hésitez, consultez les tableaux de la section «L'indice glycémique des aliments» et consommez le plus possible les aliments du premier groupe (dont l'indice est inférieur à 50). Certains livres portent sur l'indice glycémique et contiennent des tableaux énumérant des dizaines d'aliments et leur indice. Ces tableaux s'allongeront à mesure que les gens s'intéresseront à l'indice glycémique.

Les tableaux de la section «L'indice glycémique des aliments» sont très utiles au moment de choisir des glucides, mais ils n'ont jamais été conçus pour servir d'unique guide alimentaire. Il faut également tenir compte de la quantité globale de macronutriments que nous ingérons. Après tout, les glucides ne sont pas les seuls à nous faire grossir. La surconsommation de calories en général contribue également à l'augmentation du tissu adipeux. La quantité et le type de graisses et de protéines que nous ingérons, ainsi que la teneur en fibres et la valeur nutritionnelle globale des aliments que nous consommons, sont également d'une importance considérable. Les frites et les croustilles ont un indice glycémique inférieur à celui d'une pomme de terre au four, mais cela n'en fait pas des aliments de choix en raison du type de gras qu'elles contiennent. (Le carton a un faible indice glycémique, mais ce n'est pas une raison pour en manger.)

Les glucides peuvent jouer un rôle clé dans la santé et la lipolyse, à condition qu'ils aient un faible indice glycémique, qu'ils soient frais, le moins transformés possible et qu'ils contiennent une très grande quantité de phytonutriments et de fibres. La recherche indique que, lorsqu'un régime riche en glucides est remplacé par un régime contenant plus de protéines, on profite d'une baisse des lipides dans le sang, d'une réduction de l'insuline et d'une augmentation de la lipolyse. Incluez dans vos repas de grandes quantités de fruits et légumes frais, de viandes maigres, d'autres protéines alimentaires et de petites quantités de graines et de céréales transformées.

Des faits à propos des aliments à faible indice glycémique

• Les aliments à faible indice glycémique ne stimulent pas les hormones de la faim.
• Les plans alimentaires à faible indice glycémique ne favorisent pas le manque de nourriture ou la privation.
• Il a été prouvé que les plans alimentaires à faible indice glycémique réduisent l'incidence du diabète de type II et régulent le diabète de type I et de type II, l'hypoglycémie et l'hypertension artérielle.
• Les aliments à indice glycémique élevé font monter l'insuline et la glycémie, stimulent le stockage des graisses, aggravent l'hyper-activité et réduisent la performance sportive, ce que ne font pas les aliments à faible indice glycémique.

CHAPITRE 7

Deuxième macrocombustible :
les graisses alimentaires

Les graisses alimentaires ou lipides ne nous font pas toujours grossir. Au cours des 10 dernières années, nous avons vu des régimes à faible teneur en gras envahir le marché. Ces régimes nous portent à croire qu'en remplaçant les aliments gras par des glucides à faible teneur en gras, nous réglerions nos problèmes. Parce que les lipides comptent neuf calories par gramme comparativement à quatre calories pour les glucides, nous avons supposé qu'en réduisant simplement notre consommation de graisses alimentaires et en augmentant notre consommation de glucides, nous pourrions perdre de la graisse. Comme nous le savons, au cours des 10 dernières années, nous sommes devenus plus gros et le taux d'obésité a augmenté de 30 %. Une grande quantité de glucides à indice glycémique élevé n'est pas la solution pour faire la guerre au gras. L'élimination des graisses alimentaires n'est pas non plus la solution. Les graisses alimentaires se dégradent en acides gras et en glycérides. C'est bien de consommer des graisses, mais la consommation du mauvais type de lipides peut transformer les cellules musculaires en de très mauvais combustibles. De nombreuses études démontrent, que lorsque les graisses alimentaires représentent entre 20 % et 35 % de l'apport alimentaire total, elles ne nous font pas grossir.

Du point de vue génétique, nous n'avons pas beaucoup changé depuis des milliers d'années alors que nous consommions du gibier sauvage, du poisson et des noix. Quelle différence y a-t-il entre ces aliments et ceux que nous consommons aujourd'hui ? Non seulement ils avaient un faible indice glycémique, mais ils contenaient également de bonnes graisses. Aujourd'hui, la teneur en graisses alimentaires de notre régime est complètement différente de celle à laquelle notre bagage génétique nous destinait. C'est pourquoi nous souffrons de tant de maladies reliées aux «mauvaises graisses», comme les maladies cardiovasculaires, l'arthrite, le diabète, l'hypertension artérielle et l'obésité.

DISTINGUER LES ALLIÉS DES ENNEMIS

Les graisses alimentaires sont nécessaires à tout régime, mais le type de graisse que nous consommons fait toute la différence. Les aliments entiers naturels contiennent des matières grasses dans leurs composantes structurelles et comportent un équilibre de graisses saturées, de graisses monoinsaturées et de graisses polyinsaturées. Les mauvaises graisses, comme les graisses trans et les graisses trop saturées provenant des produits animaux peuvent faire en sorte que les cellules musculaires lipolytiques deviennent paresseuses et lentes. Tant que nous n'abusons pas des graisses alimentaires et que nous consommons le bon type de graisse, nous pouvons nous en faire des alliées dans la guerre au gras.

Chacune des graisses alimentaires a sa propre composition chimique. Plus précisément, chacune est faite d'une chaîne d'atomes de carbone auxquels sont liés des atomes d'hydrogène. Le type de graisse alimentaire (et son fonctionnement avec le reste de la chimie organique) est déterminé par la longueur de la chaîne carbonée ainsi que par le nombre et la disposition des atomes d'hydrogène qui y sont liés.

Nous avons tous déjà entendu les expressions graisses saturées et graisses insaturées, mais combien d'entre nous comprennent vraiment la différence entre les deux ?

Les *graisses saturées* sont des lipides dont les atomes de carbone sont tous liés à des atomes d'hydrogène. Cela signifie que la chaîne carbonée porte le nombre maximal d'atomes d'hydrogène. Ces graisses sont vitales à la biochimie, mais notre organisme peut habituellement fabriquer tout ce dont il a besoin à partir des matières premières (nourriture). Les graisses saturées possèdent une structure moléculaire linéaire qui leur permet un accès facile aux cellules adipeuses déjà gonflées. Essentiellement, elles servent uniquement de combustible et personne n'a à nous rappeler l'excédent de combustible que nous portons déjà. On en trouve une grande concentration dans la viande et les produits laitiers. Consommées de façon abusive, elle contribuent à l'obésité, aux maladies cardiovasculaires, à certains cancers et à l'insensibilité à l'insuline. En limitant notre consommation de graisses saturées, nous améliorerons l'activité des cellules musculaires, augmenterons le rythme de combustion et réduirons le dépôt d'acides gras. Les graisses très saturées combinées à des régimes faibles en fibres sont encore pires ; elles sont associées à une forte concentration d'insuline qui mène à l'embonpoint, à l'obésité et à un état prédisposant au diabète.

Les *graisses insaturées* sont des lipides dont la chaîne carbonée comporte des espaces libres. Une *graisse monoinsaturée* est une liaison unique et spéciale entre deux atomes de carbone sans atome d'hydrogène ; une *graisse polyinsaturée* possède un plus grand nombre d'espaces libres (et de liaisons carbonées). Ce sont les divers espaces libres le long de la chaîne carbonée qui donnent aux graisses leurs rôles particuliers. Plus il y aura d'espaces libres le long de la chaîne carbonée, plus la graisse alimentaire sera biologiquement active et plus elle aura d'endroits biologiques où se loger en plus des cellules adipeuses.

Les graisses monoinsaturées sont importantes pour la santé en général, en particulier lorsqu'on veut abaisser la concentration de triglycérides dans le sang, le taux de cholestérol LDL et la glycémie. Une consommation élevée de graisses monoinsaturées contribue à réduire l'incidence des maladies cardiovasculaires et du diabète. Les graisses monoinsaturées sont aussi des antioxydants qui réduisent les radicaux libres produits par l'oxydation du cholestérol LDL. Des recherches parmi des personnes diabétiques ont révélé qu'un régime élevé en graisses monoinsaturées peut réduire la concentration de triglycérides dans le sang de 19 %, de cholestérol LDL de 14 % et de cholestérol VLDL de 22 %. Il s'agit d'une baisse importante si l'on considère que de nombreux hypolipidémiants et hypocholestérolémiants ne donnent pas d'aussi bons résultats et comportent des effets secondaires graves.

Les huiles riches en graisses monoinsaturées sont l'huile d'olive, l'huile de canola et l'huile de carthame à haute teneur en acide oléique. Elles sont des alliées très importantes pour faire la guerre au gras. Les régimes méditerranéens sont riches en graisses monoinsaturées en raison de l'usage abondant d'huile d'olive. En effet, les Méditerranéens consomment jusqu'à

40% de graisses et affichent tout de même l'une des plus basses incidences de maladies coronariennes au monde. N'oubliez pas : les graisses monoinsaturées sont elles-mêmes hypercaloriques ; donc, lorsqu'on les ajoute à d'autres aliments, il faut éliminer les calories des graisses nuisibles ou les glucides à indice glycémique élevé.

PLUS QUE DE BONNES GRAISSES, DES GRAISSES ESSENTIELLES !

L'acide linoléique, aussi appelé oméga-6, et l'acide alpha-linoléique, aussi appelé oméga-3, sont classés comme des acides gras essentiels (AGE). Ces graisses alimentaires sont différentes des autres parce qu'elle ne peuvent pas être fabriquées par l'organisme ; elles doivent être consommées. Il s'agit, évidemment, de graisses polyinsaturées. L'oméga-6 comporte quatre espaces libres d'atomes d'hydrogène dans la chaîne et deux liaisons spéciales entre les paires d'atomes de carbone ; l'oméga-3 comporte six espaces libres d'atomes d'hydrogène.

Ces deux graisses sont considérées comme essentielles parce qu'elles fournissent les constituants des diverses structures de l'organisme, notamment la membrane cellulaire qui renferme chacune de nos 100 billions de cellules et les ingrédients de base de la structure des yeux, des oreilles, du cerveau, des glandes sexuelles et des glandes surrénales. Elles régulent également la circulation des substances qui entrent dans les cellules et en sortent, en empêchant les molécules étrangères, les virus, les levures, les champignons et les bactéries de pénétrer dans les cellules et en gardant les protéines cellulaires, les enzymes, le matériel génétique et les organites (comme la mitochondrie où sont brûlées les graisses) à l'intérieur de la cellule. Comme les acides gras essentiels portent une légère charge négative, ils se repoussent les uns les autres et se répandent dans toutes les directions pour amener les toxines oléosolubles des profondeurs de l'organisme jusqu'à la surface de la peau pour qu'elles soient éliminées. Les acides gras essentiels emmagasinent également des charges électriques qui produisent les courants bioélectriques importants pour les fonctions nerveuses, musculaires et de la membrane cellulaire, et la transmission des messages venant du cerveau.

Sans un apport approprié de ces graisses alliées, nous ne pouvons plus brûler de graisses. Des graisses peuvent-elles réellement aider à brûler des graisses ? Oui ! Ces graisses essentielles agissent ensemble pour accroître la quantité globale d'oxygène utilisée par les cellules pour produire l'énergie ;

or, plus nous transportons d'oxygène vers nos cellules, plus rapidement nous brûlons la graisse. Les acides gras essentiels accélèrent le métabolisme et augmentent l'efficacité de l'insuline. Par conséquent, en faisant des acides gras oméga-6 et oméga-3 les principales sources de graisses alimentaires, on peut réduire grandement les réserves de graisse indésirables.

• •

CE QU'IL FAUT SAVOIR SUR LES ACIDES GRAS ESSENTIELS

Les acides gras essentiels ont les effets suivants:

- Ils régulent le transport d'oxygène et d'énergie.
- Ils contribuent à la formation des globules rouges.
- Ils activent les glandes productrices d'hormones.
- Ils favorisent la lubrification des surfaces articulaires.

Les acides gras oméga-3 et oméga-6 sont également des précurseurs des messagers hormonoïdes qu'on appelle les prostaglandines et qui influent sur presque tous les processus biochimiques de l'organisme. Les prostaglandines des oméga-3 sont particulièrement importantes pour les raisons suivantes:

- Elles régulent la tension artérielle, l'adhésivité plaquettaire et la fonction rénale.
- Elles aident au transport du cholestérol.
- Elles contribuent à produire des courants électriques qui permettent au cœur de battre de façon régulière.
- Elles fabriquent l'acide docasahéxanoïque dont la plupart des tissus actifs ont besoin: le cerveau, la rétine, les glandes surrénales et les testicules.
- Elles aident le système immunitaire à combattre les infections.
- Elles aident à prévenir le développement d'allergies.
- Elles améliorent la sensibilité à l'insuline.

Les acides gras essentiels ne sont pas toujours bénins. La consommation excessive d'oméga-6 est liée à une augmentation de certains cancers et de l'obésité. La meilleure façon de nous maintenir en très bonne santé et d'accroître la dégradation de la graisse consiste à combiner les graisses oméga, en privilégiant les oméga-3. Les oméga-3 qui stimulent davantage la lipolyse.

En général, dans les pays occidentaux industrialisés, les cellules adipeuses emmagasinent plus de 50 % des acides gras monoinsaturés, de 30 % à 40 % d'acides gras saturés et de 10 % à 20 % d'acides gras polyinsaturés. C'est le reflet du ratio de graisses alimentaires que nous consommons. Parmi les graisses polyinsaturées dans les triglycérides des cellules adipeuses, les acides gras dominants sont les oméga-6; les oméga-3 représentent habituellement moins de 1 % des graisses. Cela signifie que nous avons un forte carence en oméga-3. Depuis 1850, la consommation d'oméga-3 a baissé à 1/6 de la quantité traditionnelle (saine) pour donner un ratio de 20:1 en faveur des oméga-6, le ratio optimal devant être de 1:1 pour le cerveau et de 4:1 pour les tissus maigres. Une concentration élevée d'acides gras essentiels oméga-6 supprime l'absorption des oméga-3 dans les tissus. En augmentant la quantité d'acides gras essentiels oméga-3 dans notre régime par des aliments comme l'huile de lin et les poissons d'eaux froides (contenant de l'acide eicosapentanoïque et de l'acide docasahéxanoïque), nous réussirons à réintroduire cette importante classe de nutriments dans nos cellules.

TROUVER LES GRAISSES ET LES EMMAGASINER

Les huiles les plus courantes sont extraites des graines (canola, lin, carthame, sésame, tournesol), des céréales (maïs, germe de blé), des fruits (avocat, olive), des fèves (soja) et des noix (amande, coco, palmiste, arachide, noix). Les molécules dans les graisses saturées ont une forme linéaire et s'agglutinent facilement en une masse solide. Ces acides gras denses sont très stables; ils résistent aux dommages causés par l'air, la lumière et la chaleur. On trouve les graisses saturées dans le beurre et l'huile de coco.

Les graisses monoinsaturées (riches en acides gras oléiques) sont moins stables que les graisses saturées, mais plus stables que les graisses polyinsaturées. Lorsqu'elles sont réfrigérées, elles épaississent, mais retrouvent leur onctuosité à la température ambiante. Elles constituent un bon choix pour la cuisson mais ne devraient jamais être chauffées à haute température. L'huile d'olive et l'huile de canola font partie des huiles monoinsaturées riches.

Les graisses polyinsaturées sont les moins stables de toutes. Les huiles de maïs et de carthame sont les huiles polyinsaturées les plus populaires et exigent une manutention délicate pour conserver leur fraîcheur. Les huiles super polyinsaturées sont les plus rares et constituent des sources riches d'acide gras essentiels. On les trouve dans les poissons d'eaux froides, dans l'huile de lin et, d'une façon moins considérable, dans l'huile de canola, l'huile de chanvre (oméga-3) ainsi que dans les graines d'oméga-6 comme les groseilles, la bourrache, l'onagre, le carthame, le tournesol et le maïs. Les huiles comme l'huile de lin pressée à froid et d'autres sont très sensibles à la lumière, à l'air et aux températures élevées. Ces huiles se détériorent très rapidement et doivent être réfrigérées (ou congelées) et conservées dans un contenant hermétique à l'abri de la lumière. L'huile de lin vendue dans les magasins d'aliments naturels est présentée dans une bouteille opaque ou devrait l'être et est probablement réfrigérée. Les huiles brutes comme l'huile de sésame et l'huile d'arachide sont également très actives et ne doivent pas servir à la cuisson ; elles ne doivent pas être exposées à des températures élevées. Utilisez-les pour les vinaigrettes ou d'autres plats non chauffés.

UN MOT SUR LES GRAISSES NON NATURELLES

On appelle graisses trans les graisses modifiées artificiellement. On trouve les graisses trans dans les aliments frits, la margarine et de nombreux produits de boulangerie. Les graisses trans ont été transformées chimiquement au moyen de la chaleur et de l'hydrogénation (l'ajout d'atomes d'hydrogène à la chaîne carbonée). En ajoutant des atomes d'hydrogène et en modifiant les structures des graisses essentielles saines, nous allongeons la durée de conservation de ces graisses. Excellent pour les affaires, très mauvais pour la santé. En hydrogénant ces acides autrefois sains et actifs biologiquement, nous les modifions de telle manière qu'ils deviennent encore plus faciles à absorber par la membrane cellulaire. Ce mauvais tour qu'on joue à notre biochimie provoque une confusion au niveau cellulaire qui se traduit par une fuite des membranes cellulaires et, en bout de ligne, par la perturbation de nombreuses fonctions biochimiques, notamment l'interruption de la lipolyse.

QUELLE QUANTITÉ DE GRAISSES ALIMENTAIRES EST SUFFISANTE ?

Quelle quantité de graisses alimentaires doit-on consommer et quel est le ratio idéal des divers acides gras pour dégrader le plus de graisse possible et être en bonne santé? Certaines personnes fonctionnent mieux avec une plus grande quantité de graisse que d'autres mais, en général, c'est le *type* de graisse qui compte pour accélérer le métabolisme et permettre aux cellules musculaires de fonctionner à plein régime lorsqu'elles brûlent la graisse et font des réserves de glucides.

Limiter les graisses trans, les graisses saturées et même l'acide linoléique, qui est un acide gras oméga-6, est un bon départ. Je recommande qu'environ 30% des calories proviennent des lipides, surtout des acides gras essentiels. Consultez les recommandations du chapitre 14 pour calculer votre propre apport quotidien en lipides.

CHAPITRE 8

Troisième macrocombustible :
les protéines alimentaires

Les protéines alimentaires jouent un rôle primordial dans la santé et la bonne forme, mais je veux insister encore sur le fait qu'un équilibre entre les glucides, les lipides et les protéines de haute valeur biologique est la solution pour réussir à perdre de la graisse. La plupart des gens n'atteignent jamais cet objectif parce qu'ils préconisent la méthode du tout ou rien. Les recherches ont abondamment confirmé que si nous mangeons de façon équilibrée tout en réduisant notre consommation globale de glucides à indice glycémique élevé, qui stimulent la sécrétion d'insuline, nous brûlerons de la graisse.

La plupart des régimes riches en protéines que nous voyons dans le marché sont en réalité des régimes à faible teneur en glucides déguisés. Comme nous l'avons vu, de nombreux glucides nous font gagner de la graisse indésirable, mais nous ne réglerons pas le problème en les éliminant complètement de notre régime alimentaire. Pour renverser la situation, de nombreux chercheurs recommandent désormais de réduire la consommation des glucides (sans les éliminer) et d'augmenter la consommation de protéines alimentaires. Pourquoi les protéines sont-elles si importantes ?

On parle de l'importance des protéines depuis le commencement des temps. Les créateurs de la médecine moderne, les Grecs, les ont d'abord nommées *Protos*, qui signifie être le premier ou du premier rang. Chaque jour, notre organisme constitue et renouvelle près de 300 milliards de cellules à partir des matières premières qui se trouvent dans les protéines alimentaires. Les glucides et les lipides peuvent fournir l'énergie nécessaire pour fabriquer ces protéines corporelles, mais elles ne fournissent pas les matières premières nécessaires. Seules les protéines alimentaires peuvent le faire.

Les protéines que nous apportent les aliments sont constituées d'acides aminés; le processus de digestion dégrade les protéines en acides aminés et en combinaisons d'acides aminés qu'on appelle les peptides. Ce sont les constituants de nos organes, de nos cellules musculaires, des protéines de transport et des enzymes. Les protéines alimentaires sont absolument indispensables à la vie et au succès de la lipolyse.

Nous ne sommes pas seulement ce que *nous* mangeons, mais aussi ce que mangeaient nos ancêtres. Et nos ancêtres consommaient une grande quantité de protéines. Comme l'a avancé le Dr Boyd Eaton (voir le chapitre 2), le régime des hommes préhistoriques était composé d'au moins 30 % de protéines. Évidemment, les protéines que consommaient nos ancêtres différaient quelque peu de la plupart des protéines que nous consommons aujourd'hui. Les hommes préhistoriques consommaient des protéines provenant de la viande sauvage maigre; celle-ci contenait également les acides gras essentiels qui font souvent défaut dans notre régime actuel. D'autres recherches indiquent que nos ancêtres vivaient principalement de la chasse et de la cueillette; leurs gènes étaient toutefois les mêmes que les nôtres. Nos premiers ancêtres étaient à plusieurs égards en bien meilleure santé que les hommes issus de la révolution agraire, friands de glucides et nourris aux céréales.

LES PROTÉINES PAR RAPPORT AUX GLUCIDES

Les protéines contribuent à accélérer le métabolisme au repos tout au long du jour et de la nuit – oui, nous brûlons plus de calories en dormant! Par rapport à un repas riche en glucides, la réaction thermique (combustion de graisse) provenant d'un repas riche en protéines est de 40 % supérieure. C'est beaucoup de chaleur! Les recherches montrent également que des repas de protéines doublent ou triplent la consommation d'oxygène obtenue par un repas de glucides; cela indique également une accélération importante du métabolisme. C'est pourquoi les protéines consommées avec chaque repas accroissent le degré de concentration, alors que les repas riches en glucides entraînent la somnolence. Si nous ne consommons pas suffisamment de protéines dans les aliments que nous mangeons, nous ferons ralentir notre métabolisme au rythme de l'escargot.

Des recherches montrent également qu'un régime riche en protéines augmente davantage la masse musculaire résultant d'entraînement en résistance que ne le fait un régime riche en glucides. Un repas riche en protéines est plus satisfaisant et produit un plus grand effet de satiété qu'un repas riche en glucides. Parmi les bonnes sources de protéines maigres, il y a le poulet, le poisson, les œufs (de préférence les blancs d'œuf), la viande maigre (les coupes dans le filet), le soja fermenté (tofu, miso ou tempeh) et, évidemment, les isolats de protéines de haute valeur biologique. Certaines nouvelles formules alimentaires protéiques sont très efficaces pour couper l'appétit comme celles de la marque AlphaPure^{MD}. L'une des choses les plus importantes à faire lorsque vous suivez un plan pour faire la guerre au gras, c'est de consommer à chaque repas des protéines de haute valeur biologique.

TOUTES LES PROTÉINES ALIMENTAIRES NE SE VALENT PAS

La valeur réelle des divers aliments contenant des protéines est mesurée par l'indice d'utilisation protéique nette (UPN). Celui-ci indique la valeur biologique, exprimée en pourcentage, de la digestibilité d'une protéine donnée. La valeur biologique d'une protéine alimentaire est l'efficacité avec laquelle elle dépose les proportions et les quantités appropriées d'acides aminés essentiels requises pour le métabolisme anabolique (l'assimilation des nutriments). Le facteur important n'est pas la quantité de protéines alimentaires consommée, mais la quantité de protéines alimentaires disponible pour l'organisme après l'ingestion.

L'organisme possède son propre profil d'acides aminés et aucun aliment ne correspond exactement à ce profil. À l'exception de la protéine qu'on trouve dans le lait maternel (protéine idéale), toutes les protéines sont classées selon l'indice UPN par rapport à l'aliment qui vient au second rang, l'œuf. Le seul aliment qui a un indice UPN supérieur à celui des œufs entiers est le concentré protéique de lactosérum, mais comme il s'agit d'un aliment fabriqué, l'œuf demeure l'étalon.

● ●

L'INDICE D'UTILISATION PROTÉIQUE NETTE (UPN)

Les aliments sont classés par ordre décroissant selon leur indice UPN :

PROTÉINE	VB (valeur biologique, c'est-à-dire % de digestibilité)
Concentré protéique de lactosérum (lactalbumine)	104
Œufs entiers	100
Lait de vache	91
Blancs d'œuf (albumine)	88
Poisson	83
Bœuf	80
Poulet	79
Caséinate et isolats de protéines du lait	77
Soja	74
Riz	59
Blé	54
Graines, noix, légumineuses (fèves), algues (spiruline)	49

Les protéines alimentaires provenant des plantes, à l'exception des isolats de protéines de soja ne contenant pas d'OGM, arrivent au bas de la liste. Les végétaliens actifs, qui consomment uniquement des aliments à base de plantes, auront énormément de difficulté à constituer et à renouveler leur tissu musculaire. De nombreuses études ont prouvé que, lorsque l'apport en protéines alimentaires essentielles d'un athlète se résume à des protéines d'origine végétale, ce dernier commence à perdre de sa qualité musculaire et de sa force presque immédiatement.

De nombreuses protéines végétales ne sont pas des sources d'acides aminés de grande valeur biologique et bon nombre de ces aliments (comme les fèves, les pois et le maïs) regorgent de glucides. De plus, une bonne partie des protéines des légumes n'est jamais absorbée parce que les fibres contenues dans ces aliments se lient aux protéines. La seule exception en matière de protéines végétales à faible indice UPN est le soja.

La plupart des protéines que nous mangeons doivent provenir d'aliments comme des coupes maigres de viande rouge (bœuf, agneau), des viandes blanches (poulet sans peau, poisson), des produits laitiers à faible teneur en gras et des œufs. De nos jours, pour éviter les bactéries infectieuses comme la salmonelle et l'E. coli., il faut privilégier et préparer avec soin des protéines animales de haute valeur biologique. Les aliments protéiques de source animale peuvent également contenir beaucoup de graisse; il faut donc choisir des coupes maigres. Le poisson demeure une excellente source d'acides aminés et d'acides gras essentiels. Peu importe la source alimentaire, soyez un consommateur averti. Achetez toujours des aliments frais, biologiques et provenant d'animaux élevés en liberté.

Les protéines alimentaires supplémentaires doivent provenir de suppléments faits uniquement de concentrés de protéines de haute valeur biologique contenant des isolats de lactosérum, des isolats de soja ou des mélanges de lactosérum et de soja. (Voir l'annexe II pour quelques recommandations.)

LE LACTOSÉRUM, PRODUIT DE CHOIX

Le lactosérum est un sous-produit de la fabrication du fromage. Le lactosérum était en fait considéré comme un déchet jusqu'à ce que des scientifiques étudient les profils de sa structure protéique chimique et décident d'en extraire la protéine. Les premiers produits protéiques de lactosérum se sont appelés des concentrés de lactosérum (ou petit-lait). Ils contenaient aussi peu que de 30% à 40% de protéines et regorgeaient plutôt de lipides, de lactose (sucre du lait) et de protéines dénaturées (endommagées). La dénaturation se produit, par exemple, lorsqu'on fait cuire le blanc d'un œuf cru. Lorsqu'il est cru, le blanc de l'œuf peut se dissoudre dans l'eau, mais une fois cuit, la protéine qu'il contient se durcit et devient insoluble. La majorité des produits offerts aujourd'hui viennent de nouveaux procédés tels l'échange d'ions et l'extraction sur membrane par écoulement croisé. Ils ont un pourcentage plus élevé de protéines que leurs prédécesseurs, suffisamment élevé pour qu'on les appelle des isolats.

La plus récente génération d'isolats de lactosérum peut contenir plus de 90% de protéines pures avec très peu de graisse et une concentration minime de lactose. Leur production est également très dispendieuse. En raison des coûts accrus des nouveaux isolats, de nombreux fabricants sont portés à mélanger les isolats avec des concentrés moins dispendieux et à les appeler quand même isolats. Très peu d'entreprises utilisent uniquement des isolats. Comme les isolats protéiques de lactosérum sont les protéines alimentaires ayant la plus haute valeur biologique connue de la science moderne, il est important de lire l'étiquette !

Ces protéines sont extrêmement anabolisantes et peuvent augmenter la synthèse protéique plus rapidement et mieux que toute autre protéine alimentaire. Leur profil supérieur en acides aminés leur donne un avantage par rapport aux autres protéines quant à leur digestibilité et à leur assimilation dans le tissu musculaire.

Le potentiel le plus excitant des isolats de protéines de lactosérum est leur capacité à accroître notre réaction immunitaire – en particulier dans la lutte contre le cancer. La protéine aide également à la lipolyse et à la croissance des muscles, réduit l'appétit et peut être consommée par les personnes souffrant d'intolérance au lactose.

LES ISOLATS DE PROTÉINES DE SOJA NE CONTENANT PAS D'OGM

De plus en plus de recherches sont effectuées pour justifier les nombreux bienfaits des isolats de protéines de soja. Ceux-ci comblent bien les besoins de l'organisme quant à l'apport en acides aminés précieux. Une marque d'isolat de protéines du soja du nom de Supro[MD] a la même valeur protéique que l'œuf. (Voir l'annexe II pour en savoir plus.)

Les isolats de protéines de soja sont riches en acides aminés à chaîne ramifiée indispensables à la croissance et à l'énergie musculaire et riches en arginine dont on a besoin pour stimuler les hormones anabolisantes comme l'hormone de croissance (GH). Ils contiennent également une grande quantité de l'acide aminé le plus abondant du tissu musculaire, la glutamine (deux fois plus que le lactosérum). La glutamine est un autre acide aminé qui stimule l'anabolisme.

Les isolats des protéines de soja ont la capacité de réduire les radicaux libres nocifs, de former des muscles de qualité, d'accélérer le métabolisme (par le débit thyroïdien), d'augmenter la concentration de l'hormone de croissance et de fournir le calcium, l'acide folique et le fer assimilables.

Le soja a un autre effet incroyable : il peut abaisser le taux de mauvais cholestérol et augmenter le taux de bon cholestérol. Les protéines de soja y parviennent de façon si remarquable que, le 26 octobre 1999, le Food and Drug Administration des États-Unis a permis que l'on déclare que les protéines de soja peuvent jouer un rôle dans la réduction des maladies coronariennes.

Le taux normal de cholestérol chez une personne en bonne santé doit être d'environ 160 mg/dl de sang. Le risque de maladie coronarienne augmente lorsque le taux de cholestérol dépasse 200 mg/dl. Plus de 100 millions de personnes en Amérique du Nord présentent un taux de cholestérol supérieur à 200 mg/dl. C'est presque la moitié de la population nord-américaine. Pourtant, de plus en plus de personnes présentent une cholestérolémie supérieure à 240 mg/dl ; c'est presque une garantie de crise cardiaque.

L'adiposité n'a rien à voir avec le taux de cholestérol ; autrement dit, le fait d'être très maigre n'implique pas que l'on ait un faible taux de cholestérol. Le cholestérol se trouve uniquement dans les aliments de source animale. Les conclusions qu'a tirées récemment The Colgan Institute of Nutritional Science indiquent que ce n'est pas la teneur en lipides de ces aliments qui fait monter le taux de cholestérol, mais plutôt la protéine alimentaire elle-même.

La structure d'acides aminés des protéines alimentaires a également un effet direct sur les hormones. En utilisant des acides aminés comme le L-arginine et l'ornithine alpha-cétoglutarate, on a pu augmenter la concentration de l'hormone de croissance, hormone qui prévient le vieillissement et réduit les réserves de graisse. Les protéines animales renferment habituellement une concentration élevée de L-lysine et une concentration moindre de L-arginine. Des études ont démontré qu'une concentration élevée de L-lysine fonctionne en opposition avec le L-arginine, ce qui peut influer sur la quantité de GH qui est sécrétée. Une concentration élevée de L-lysine peut, en effet, accroître la production d'insuline en réduisant la quantité de glucagon, ce qui rend la perte de graisse très difficile. Ce changement dans le ratio insuline-glucagon ordonne au foie de fabriquer de grandes quantités de graisse et de cholestérol.

Comme on l'a noté dans le chapitre portant sur les femmes et la ménopause, les scientifiques savent depuis longtemps que les Asiatiques connaissent une incidence largement inférieure d'hypercholestérolémie et de certains types de cancer. Un lien a été établi entre l'absence relative de ces maladies et la consommation élevée d'aliments végétaux, principalement le soja. Les protéines de soja présentent un ratio arginine-lysine beaucoup plus favorable, ce qui accroît la concentration de glucagon, facilite la lipolyse et abaisse le taux de cholestérol. En résumé, les bienfaits des protéines de soja sont (sans s'y limiter) une baisse efficace du ratio insuline-glucagon, un apport d'isoflavonoïdes et de substances phytochimiques qui stimulent le système immunitaire et luttent contre le cancer, une augmentation de la densité osseuse chez les femmes ménopausées et une amélioration de la fonction rénale.

QUELLE QUANTITÉ DE PROTÉINES ALIMENTAIRES CONSOMMER ?

Selon le Recommended Dietary Allowances (RDA) des États Unis, nous ne devrions pas consommer plus de 0,8 g de protéine par kilogramme de poids corporel. Cette quantité s'avère acceptable pour les gens qui ne bougent pas; cependant de nombreux chercheurs (dont je suis) croient qu'elle ne suffit pas à quiconque désire augmenter sa masse musculaire. Le manuel des RDA stipule que, compte tenu de la marge de prudence à respecter en ce qui concerne la recommandation des rations alimentaires recommandées, aucune augmentation n'a été prévue pour tenir compte du travail et de l'exercice physique. Ces experts semblent croire que personne en Amérique du Nord ne travaille ni ne fait d'exercice.

Bien sûr, nous devons éviter la consommation excessive de protéines au cours d'un repas, car cela fatigue le foie et les reins. La limite supérieure, selon la taille et le degré d'activité, semble se situer entre 30 g et 40 g par repas.

Comme les fonctions biochimiques diffèrent d'une personne à l'autre, les besoins en protéines varient aussi d'une personne à l'autre. Rappelez-vous simplement que plus vous serez actif, plus vous aurez besoin de protéines pour que votre organisme récupère. Le Dr Lee Coyne souligne dans son livre *Fat Won't Make You Fat* que, selon certains chercheurs des plus respectés dans le domaine de la nutrition, les rations alimentaires recommandées en ce qui concerne les protéines peuvent s'avérer trop basses par un facteur de trois au moins. Cette hypothèse s'appuie sur une recherche du Dr Emanuel Cheraskin, autrefois de l'Université de l'Alabama. Après avoir évalué le Cornell Medical Index Health Questionnaire auquel ont répondu 1 040 dentistes et leurs conjoints ou conjointes, le Dr Cheraskin s'est rendu compte que les personnes qui consommaient deux ou trois fois les rations de protéines alimentaires recommandées étaient celles qui présentaient le moins de problèmes de santé.

L'apport et l'absorption des protéines alimentaires de chacun dépendent également de la façon dont les protéines sont apprêtées (crues, cuites) ainsi que des nutriments accessoires disponibles pour l'assimilation de ces protéines. Les protéines alimentaires doivent être associées à toute la gamme des vitamines B pour être utilisées et incorporées adéquatement dans les tissus de l'organisme.

L'une des meilleures manières d'accroître la lipolyse est de stimuler le métabolisme anabolisant (anabolisme), c'est-à-dire le processus de reconstitution et de réparation de l'organisme. Les protéines alimentaires sont la force motrice derrière l'anabolisme puisqu'elles fournissent l'azote nécessaire à la réparation.

Nous sommes des structures très complexes faites de plus de 100 billions de cellules. Ces cellules se régénèrent continuellement puisque notre organisme remplace notre système musculaire en entier tous les six mois. Par conséquent, les nutriments que nous consommons aujourd'hui détermineront qui nous deviendrons demain et dans quel état nous serons. La valeur biologique des protéines alimentaires est d'une importance capitale. Pour combler vos besoins en protéines, je vous recommande fortement les boissons protéiques énergisantes dont je présente quelques recettes à la fin du chapitre 11. Ces repas protéiques liquides pourraient vous faire gagner la guerre contre le gras.

Il ne faut jamais oublier l'importance de consommer uniquement des sources de protéines alimentaires de la plus grande valeur biologique. Comme nous renouvelons sans cesse les molécules qui forment notre structure, nous devons nous préoccuper de ce que nous mangeons; la nourriture fait partie de notre structure. Nous reconnaissons que nous devons tous respecter les écosystèmes afin de pouvoir continuer à respirer. Le corps humain est également un écosystème aussi complexe et merveilleux que le monde dans lequel nous vivons et il exige le respect. Si nous pensons à ne pas jeter d'ordures sur la planète, pourquoi ignorerait-on qu'il ne faut pas nourrir notre organisme d'ordures?

Le Dr Michael Colgan a très bien résumé cette idée en disant que le système humain est un génie, car il arrive à fonctionner avec des matériaux inadéquats, en les réparant ou les remplaçant. Cependant, il ne peut pas fabriquer de tissu de première qualité à partir d'ordures. Un régime fait de beignes et de café donne un corps de beignes et de café. Pour obtenir le meilleur rendement qui soit, vous devez consommer les meilleures protéines qui soient afin de fabriquer la meilleure structure qui soit.

CHAPITRE 9

Une fringale
insatiable

Josée retire sa main du sac de biscuits. Il est vide, évidemment. Josée a mis moins de 10 minutes à engloutir la douzaine de biscuits aux noix et au chocolat blanc que contenait le sac. Elle se sent coupable en glissant la langue sur sa lèvre supérieure pour y attraper une miette oubliée.

Et tant pis pour le régime! Elle a réussi à tenir sept jours, cette fois-ci. La dernière fois, son désir insatiable l'a perdue avant la fin du troisième jour. Mais, cette fois encore, ce n'est pas uniquement de sa faute: perdre son emploi et faire remorquer sa voiture dans la même journée, c'est trop demander à quelqu'un qui est au régime. Alors, pourquoi résister à la crème glacée moka et amandes? C'est moins cher et meilleur pour la santé à longue échéance qu'une ordonnance de Prozac, après tout!

De plus, elle a eu la sagesse d'acheter celle qui est faite de crème véritable; à l'aube de ses 40 ans, elle sait qu'elle risque l'ostéoporose et qu'elle doit accroître son apport de calcium.

Cette fois, elle n'est pas trop sévère envers elle-même. Au moins, elle ne touche pas aux cigarettes. Et puis, qu'y a-t-il de si grave si elle prend quelques kilos? Elle fait attention à ses poumons au moins. Et les vêtements d'hiver sont si pratiques, vraiment. Si elle porte suffisamment de pelures, personne ne remarquera les bourrelets qui se forment sous ses vêtements. ■

Voilà comment la guerre au gras se perd lentement mais sûrement lorsque nous nous laissons battre par notre propre chimie et laissons les dépôts de graisse se répandre dans notre organisme, malgré toutes nos bonnes intentions. Dans le chapitre 4, j'ai abordé les raisons pour lesquelles les femmes ont une fringale de calories lorsqu'elles vieillissent et que les concentrations d'œstrogènes diminuent. J'ai parlé d'un neurotransmetteur, la sérotonine, et de son rôle dans la régulation de l'appétit et de l'humeur. Dans le présent chapitre, je vais m'attarder à cette substance chimique du cerveau et expliquer pourquoi son rôle est si important dans nos habitudes alimentaires.

TOUT LE MONDE EST-IL HEUREUX?

La sérotonine est l'un des neurotransmetteurs de l'organisme, une substance chimique qui transmet les messages d'un neurone à l'autre ou d'un neurone à une cellule musculaire. Imaginez les neurones comme les branches d'un arbre. Lorsqu'une branche s'étire, elle envoie des «brindilles» vers les brindilles d'une autre branche, sans qu'elles s'y accrochent. La communication entre ces brindilles (dire à la main de prendre le biscuit, par exemple) est le résultat des messages qui circulent entre les neurotransmetteurs. Des études ont montré que différents neurotransmetteurs agissent dans différentes zones du corps; il a été prouvé que la sérotonine influe sur une multitude de fonctions, notamment la compréhension et la mémoire, l'humeur, la température, l'agressivité et l'appétit.

Notre organisme fonctionne à partir d'un système de rétroaction: lorsque la concentration d'une composante est trop faible, un message est envoyé pour l'augmenter ou pour trouver un moyen d'équilibrer la charge. C'est ce que fait la sérotonine. Si la quantité de sérotonine disponible est faible pour quelque raison que ce soit, le système de rétroaction de l'organisme entre en action pour demander une accélération de la chaîne de production. Et, étant humain, notre organisme cherche le moyen le plus facile et le plus direct de ramener la sérotonine à la concentration nécessaire. L'organisme a envie de glucides lorsque la concentration de sérotonine est faible et nous savons tous que les aliments vides en sont pleins!

Comment agit la sérotonine?

Dans les années 1990, Richard et Judith Wurtman, chercheurs au Massachusetts Institute of Technology, ont commencé à se douter qu'il y avait un lien entre les problèmes de l'alimentation et la faible concentration de sérotonine. Richard Wurtman avait effectué dans les années 1970, avec un étudiant qui faisait de la recherche, John Fernstrom, des études portant sur le tryptophane, un acide aminé (une composante des protéines) et précurseur de la sérotonine. (L'organisme ne peut pas fabriquer de sérotonine sans l'aide du tryptophane et de la niacine (vitamine B[3]). Ils ont découvert que le tryptophane accédait rapidement au cerveau des rats dont le régime était riche en glucides (surtout de l'amidon et du sucre), ce qui permettait la production rapide de sérotonine. Lorsqu'ils ont modifié le régime des rats pour y ajouter une composante protéique, la concentration de sérotonine n'a pas augmenté, ni l'activité des systèmes qui utilisent la sérotonine. Ils ont fini par découvrir, comme d'autres chercheurs qui ont étudié le tryptophane, que les protéines alimentaires empêchaient le tryptophane d'accéder au cerveau. En fait, le tryptophane, produit en quantités moindres que tous les autres acides aminés dans les protéines, était véritablement écarté du chemin lorsqu'il tentait de se rendre au cerveau.

Qu'en est-il des glucides? Ils ne renferment habituellement pas de tryptophane; seuls les aliments à base de protéines (et quelques exceptions comme les bananes et les ananas) en renferment. Alors comment la consommation d'aliments riches en glucides peut-elle accroître la concentration de tryptophane dans le cerveau, ce qui accroît la production de sérotonine? Il faut se rappeler que l'organisme se compose de plusieurs systèmes (squelettique, musculaire, hormonal) qui fonctionnent ensemble pour assurer l'équilibre. Quand nous consommons des glucides, le système digestif dégrade les glucides en glucose qui peut être transporté dans la circulation sanguine. Le glucose dans le sang stimule le pancréas à sécréter de l'insuline, laquelle achemine le glucose dans les cellules. Les acides aminés se promenant continuellement dans la circulation sanguine, ils sont transportés également dans les cellules. Comme je l'ai dit, le tryptophane, en présence de protéines, est écarté de sa position lorsqu'il tente de gagner le cerveau. En poussant les autres acides aminés dans les cellules, l'insuline donne au tryptophane une chance de se rendre sans encombre au cerveau. Si ce n'était que la sécrétion accrue d'insuline interfère avec la lipolyse, nous pourrions qualifier cette situation de trêve: tandis que les cellules reçoivent le glucose producteur d'énergie ainsi que les acides aminés pour la croissance et la réparation, le cerveau reçoit le tryptophane à partir duquel il produit la sérotonine au besoin.

LA FRINGALE DE GLUCIDES

Lorsque vous vous rendez compte de la fréquence à laquelle l'organisme fait appel à ses réserves de sérotonine – pour la régulation du sommeil, la dépression, l'anxiété, l'agressivité, l'appétit, la régulation de la température, la sensation de douleur et le comportement sexuel, pour ne nommer que ceux-là –, vous comprenez pourquoi il vous arrive de manquer de sérotonine. Une faible concentration de sérotonine peut résulter d'un épuisement des réserves (en raison de mauvaises habitudes alimentaires ou d'un grand stress, par exemple), ou d'une diminution de la production (c'est-à-dire le manque de tryptophane pour produire de la sérotonine). Dans le premier cas, des agents de stress internes et externes sont en cause, y compris le syndrome prémenstruel, les troubles affectifs saisonniers, le stress excessif et les toxicomanies.

Hippocrate, le père de la médecine moderne, parlait du pouvoir de guérison des aliments. Sa devise était: «Laissez la nourriture être votre remède, et le remède, votre nourriture.» Autrement dit, lorsque la vie le déprimait, il aurait lui aussi cédé à la crème glacée, si elle avait existé. Mais pourquoi? De plus, si nous mangeons pour contrecarrer une faible concentration de sérotonine, pourquoi prenons-nous du poids? Parce que, peu importe que nous choisissions de l'amidon ou des sucreries, ils finissent tous par être réduits en glucose et par déclencher le cycle de l'insuline. Le problème, c'est que la sérotonine met quelque temps à agir et nous continuons à manger jusqu'à ce qu'elle entre en action. De plus, tous ces aliments riches en glucides ont tellement bon goût que nous ne voulons pas nous arrêter.

Enfin, dans nos efforts pour combattre le gras, nous décidons d'éliminer de notre régime tous les aliments riches en glucides. Cela pourrait marcher si nous éliminions seulement les sucreries et les fritures, mais malheureusement, le fait d'éliminer tous les glucides a l'effet contraire. En réalité, moins nous consommons de glucides, plus notre organisme en demande (pour rétablir la concentration de sérotonine). Un régime qui éliminerait presque entièrement les glucides nous ferait perdre quelques kilos au début, mais la majeure partie du poids perdu serait de l'eau, parce que chaque molécule de glucide peut retenir trois ou quatre molécules d'eau. De plus, ces régimes très faibles en glucides abaisseraient la concentration de sérotonine; notre organisme nous obligerait alors à nous gaver de glucides. (Vous vous en voulez toujours lorsque cela se produit, mais soyez indulgent et mangez avec modération des glucides moins transformés.)

Notre état émotif entre aussi en jeu. Avez-vous déjà remarqué que, lorsque vous êtes contrarié, votre envie de glucides dépasse les bornes ? C'est la façon que choisit notre organisme pour nous dire d'accélérer la sécrétion de sérotonine qui nous aide à faire face au stress émotionnel que nous vivons. Mais le problème, c'est que le stress augmentera à cause des bourrelets de graisse que nous gagnerons en raison de ces glucides supplémentaires. Néanmoins, oubliant le problème que nous sommes sur le point de créer, nous nous ruons sur les glucides. Rappelez-vous l'histoire de Josée, au début du chapitre. Elle a pensé que les biscuits aux noix et au chocolat blanc ainsi que la crème glacée moka et amandes la réconforteraient rapidement et facilement, exactement comme son organisme le demandait.

Nous avons tous nos péchés mignons quand vient le temps de satisfaire une fringale. Si les sucreries ne vous attirent pas, vous vous culpabilisez probablement pour d'autres douceurs : des croustilles et une trempette ou une pizza toute garnie ? Oui, ces aliments contiennent un apport en glucides suffisant qui fera son chemin dans l'organisme. Les conversions chimiques nécessaires se produiront, la concentration de sérotonine augmentera et nous nous sentirons soulagés. Mais ces choix alimentaires posent un problème : ils déposeront un supplément de graisses saturées dans toutes nos petites cellules adipeuses gourmandes.

Ces aliments « défendus » sont fabriqués uniquement pour des raisons de profit et sans aucune préoccupation pour notre santé. Ne pensez pas que les dirigeants de ces sociétés d'aliments-camelote se couchent le soir en pensant au nombre de personnes qu'ils ont aidées. Ils se couchent en pensant à l'argent qu'ils ont gagné, à nos frais, littéralement ! Plus ces aliments auront bon goût, plus nous en dévorerons et plus grands seront leurs profits. Et plus ces aliments contiennent de graisses alimentaires (surtout des graisses animales, la pire sorte pour l'organisme), meilleur est leur goût. Lorsque nous nous sentons déprimés, nous recherchons ces gâteries qui nous satisfont sur le moment. Après tout, qu'y a-t-il de mieux qu'un dessert diaboliquement délicieux ? Ne le méritons-nous pas ? Certainement !

LA GALANINE

Si l'organisme a une fringale pour quelque chose, cela ne signifie-t-il pas qu'il en a besoin ? Et ne devrions-nous pas donner à notre organisme ce dont il a besoin ? Voyons la différence entre besoin et désir. Lorsque nous satisfaisons une fringale de glucides (le volet besoin) par des aliments chargés de gras, ce calme amélioré (en raison de l'augmentation de la production de sérotonine) est rapidement éclipsé par une sensation de léthargie. Plus nous mangeons d'aliments riches en glucides et chargés de gras, parce qu'ils ont si bon goût (le volet désir), plus nous prenons du poids et plus nous nous sentons léthargiques. Nous entrons officiellement dans le cercle vicieux des glucides : non seulement nous sommes de nouveau déprimés, mais nous sommes également plus gros. Nous deviendrons bientôt des paresseux déprimés et corpulents.

Que se passe-t-il ? La réponse, trouvée par le Dr Sara Leibowitz, professeure à l'Université Rockfeller, se trouve dans l'effet d'une substance neurochimique puissante, la galanine. Cette substance chimique est libérée après l'absorption d'une certaine quantité de graisse alimentaire par l'organisme. La galanine concurrence la sérotonine et a rapidement le dessus, ce qui fait que nous nous sentons passifs et fatigués ; de plus, elle nuit à notre capacité de réfléchir. Bravo, nous voilà des paresseux déprimés, corpulents et déroutés.

LE PARTENAIRE DE LA SÉROTONINE, MEILLEUR QU'UNE BERCEUSE !

Vous rappelez-vous le remède de votre mère contre l'insomnie ? Une tasse de lait chaud et une banane. Comment votre mère pouvait-elle savoir que ces aliments riches en tryptophane intervenaient dans le cycle du sommeil ? Elle ne le savait probablement pas. Elle répétait ce que sa mère faisait. Mais toutes deux, en fait, aidaient l'organisme qui suivait son propre cycle circadien – le cycle naturel sommeil-veille. Une partie du cycle implique la mélatonine, produite lorsque la sérotonine commence à manquer. Lorsque notre quantité quotidienne de sérotonine baisse, la production de mélatonine augmente. La substance chimique qui améliore l'humeur ouvre la voie à la substance chimique qui altère notre humeur. Et comme les deux substances comptent sur le précurseur tryptophane pour que les concentrations dans l'organisme soient adéquates, il serait avisé d'avoir un régime qui fournit une quantité suffisante de tryptophane.

●●●

LA MÉLATONINE

La nuit, la sérotonine se convertit en une hormone qui régule notre sommeil, la mélatonine. Cette conversion est contrôlée par une enzyme du nom de n-acétyl-transférase (NAT) qui convertit la sérotonine en n-acétyl-sérotonine avant de devenir la mélatonine. Nous ne produisons pas de mélatonine le jour parce que l'activité de l'enzyme NAT est considérablement ralentie par la lumière intense, naturelle ou artificielle.

MAINTENIR NATURELLEMENT UNE BONNE CONCENTRATION DE TRYPTOPHANE

Comment pouvons-nous maintenir un bon apport de tryptophane pour que la sérotonine et la mélatonine nous gardent en forme? Le tryptophane, l'acide aminé nécessaire pour fabriquer la sérotonine, se trouve dans certains aliments dont le lait, les bananes, l'ananas, le poulet, la dinde, le soja, les protéines du lactosérum et le yogourt. Le soja est l'une des sources les plus riches en tryptophane. Une étude publiée dans le *American Journal of Clinical Nutrition* en juin 2000 indique que les protéines du lactosérum produites au moyen du procédé d'AlphaPure^MD contient une concentration élevée d'alpha-lactalbumine et peut augmenter considérablement la concentration plasmatique de tryptophane chez les personnes très stressées. L'étude note également la diminution des hormones du stress et un état dépressif moins prononcé grâce au changement de concentration de sérotonine dans le cerveau.

Bon nombre de nouveaux isolats de protéines de soja en poudre extraits au moyen d'eau en vente dans les magasins d'aliments naturels représentent un moyen pratique d'obtenir un bon apport de tryptophane, mais, à moins que le produit soit étiqueté organisme non modifié génétiquement, il s'agit probablement de soja génétiquement modifié. Recherchez toujours les poudres de protéines de soja non modifié génétiquement lorsque vous achetez ce précieux nutriment. Soyez un acheteur avisé.

Depuis que la Food and Drug Administration des États-Unis a interdit la vente de L-tryptophane comme supplément d'acide aminé en 1989, le marché s'est vu obligé de le remplacer par des médicaments d'ordonnance coûteux. Il existe quelques solutions naturelles comme précurseurs, comme le 5-hydroxy-tryptophane ou 5-http comme on l'appelle dans le domaine de la santé, mais il est toujours recommandé de se tourner d'abord vers les aliments naturels pour refaire le plein de tryptophane.

CHAPITRE 10

Mourir de faim

Combien de fois avons-nous vécu la situation suivante? Un mois a passé depuis le début de notre dernier régime et nous voilà enfin prêt à affronter le pèse-personne. Pendant 30 jours, nous avons soigneusement découpé le gras de chaque morceau de bœuf, nous avons enlevé la peau de chaque poitrine de poulet et avons eu notre part de boîtes de thon. Si quelqu'un nous demande combien il y a de calories dans une pomme de terre cuite au four ou une salade de crevettes, nous pouvons lui donner la réponse à l'instant. La réduction des calories nous a parfois occasionné de légers malaises, mais nous espérons que cela en a valu la peine cette fois.

Nu et prêt à faire face à la musique, nous montons délicatement sur le pèse-personne. Nous nous couvrons les yeux. Après tout, la graisse fait peur. En baissant les mains, nous apercevons un chiffre qui nous plaît. Nous avons perdu 12 livres. Nous sautons de joie en criant: 12 livres! Mais la question est la suivante: 12 livres de quoi?

Nous jetons un coup d'œil rapide au miroir pleine grandeur. Cette fois, ce sera différent. Après tout, le régime est un succès, nous avons perdu 12 livres pour le prouver. Mais en nous regardant dans le miroir, nous voyons bien qu'il y a erreur. Ce que nous voyons n'est pas une nouvelle personne toute mince, mais une version plus petite d'une personne encore grasse! ■

Si vous avez échoué, ne pensez pas que vous faites partie d'une minorité. Contrairement aux messages publicitaires sur la perte de poids que nous voyons à la télé et dans les magazines, 99 % de tous les régimes échouent misérablement parce qu'ils luttent contre notre composition génétique. Ils vont contre la façon de fonctionner de l'organisme. N'oubliez pas que l'organisme a derrière lui des siècles d'entraînement au cycle bombance/famine et il sait comment se protéger. Non seulement les régimes ne donnent rien, mais la plupart d'entre eux nous laissent dans un état pire que si nous ne les avions pas suivis. Une fois le régime terminé, non seulement les livres perdues réapparaissent, mais nous en prenons d'autres encore comme moyen de protection contre la prochaine famine. Plus nous perdons de livres, plus nous semblons en reprendre. Qu'est-ce qui ne va pas dans cette histoire ?

L'ABC DE LA GRAISSE

Vous vous rappelez nos 30 milliards de cellules adipeuses ? Non seulement elles peuvent se gonfler, mais elles peuvent le faire jusqu'à 1 000 fois leur taille normale pour emmagasiner du combustible comme source d'énergie de réserve. Ces cellules possèdent des processus précis (et des enzymes) qui déclenchent le stockage et la libération de la graisse. La science nous montre que l'obésité est habituellement causée par le mauvais fonctionnement de l'un de ces deux systèmes. Le régime intervient ici en désorganisant l'équilibre entre les activités de stockage et de libération.

● ●

LA LIBÉRATION ET LE STOCKAGE DES LIPIDES

La science nous montre que l'obésité est habituellement causée par le mauvais fonctionnement de l'un de ces deux systèmes qui régissent les lipides : les enzymes lipolytiques et les enzymes adipogènes.

Les enzymes lipolytiques sont les enzymes responsables de la libération des lipides des cellules adipeuses. Les lipides doivent être libérés avant de pouvoir circuler jusqu'aux muscles qui les brûlent. L'une des plus importantes enzymes est la lipase. Plus cette enzyme est active, plus il est facile pour l'organisme de se débarrasser de ses réserves de graisse. Les enzymes lipolytiques sont sous l'influence directe d'une hormone, le glucagon.

Les enzymes adipogènes sont les enzymes responsables du stockage des lipides. Lorsque les aliments sont dégradés par la digestion, ils sont transportés dans la circulation sanguine où ils peuvent être envoyés soit dans les cellules musculaires pour y être brûlés comme combustible, soit dans les cellules adipeuses pour y être stockés comme énergie de réserve. La plus traître de ces enzymes est la lipoprotéine lipase. Plus cette enzyme est active, plus nous devenons gros. Les enzymes adipogènes sont sous l'influence directe de l'insuline.

Lorsque vous restreignez vos calories de façon excessive, votre organisme commence à produire une plus grande quantité de l'enzyme de stockage, la lipoprotéine lipase. Alors, en faisant jeûner votre organisme pour perdre du poids, ce que vous réussissez à faire, en plus de réduire le tissu musculaire, c'est d'accroître la production des enzymes de stockage des lipides pour obtenir une plus grande quantité de ce dont vous voulez vous débarrasser, la graisse!

En 1985, le Dr Paul La Chance, de l'Université Rutgers, a analysé 12 des régimes les plus populaires à cette époque et s'est rendu compte que ces 12 régimes misaient sur la réduction du nombre de calories jusqu'à provoquer une carence alimentaire grave. Lorsque nous réduisons les calories de façon excessive, notre organisme non seulement souffre d'une privation immédiate, mais il commence à produire une plus grande quantité d'enzymes de stockage pour faire le plus de réserve possible, et ce, particulièrement après la fin d'une période de restriction calorique importante. En jeûnant pour perdre du poids, nous nous préparons à un marathon de stockage de graisse, une fois la période de famine terminée.

Les sondages révèlent que, en tout temps, plus du tiers des femmes et le quart des hommes suivent l'un des régimes à la mode. D'autres études montrent que les Nord-Américains sont de plus en plus gros. Pouvez-vous croire que nous dépensons près de 40 milliards de dollars chaque année pour des régimes qui ne remplissent pas leurs promesses? Si vous ouvriez un compte à la banque et y déposiez des fonds chaque semaine pour vous rendre compte à la fin de l'année que vous devez de l'argent à la banque, supposeriez-vous que vous êtes responsable de la situation? Vous diriez-vous «Je devrai épargner davantage la prochaine fois» et ouvririez-vous un autre compte de banque? Bien sûr que non, mais c'est exactement ce que nous faisons en passant d'un régime raté à un autre.

LES *VÉRITABLES* MAUVAISES NOUVELLES À PROPOS DES RÉGIMES

Non seulement les régimes à faible teneur en calories privent l'organisme de précieux nutriments, mais ils provoquent également une perte dévastatrice du tissu musculaire. «Qui se soucie des muscles? Je veux simplement perdre du gras!» disons-nous. Comme nous l'avons vu en jetant un coup d'œil rapide à la «génératrice» et au «brûleur», les muscles sont le premier site de combustion de la graisse. Plus notre tissu musculaire est important, plus nous pouvons brûler du gras pour en tirer de l'énergie. Les études démontrent que la perte d'une seule once du tissu musculaire réduit la capacité de l'organisme à créer de l'énergie et diminue la capacité de lipolyse. Une perte de poids radicale entraîne un ralentissement considérable du métabolisme au repos, à cause de la réduction de la masse maigre (les muscles). La diminution de la capacité de brûler de la graisse nous prépare à une autre ronde du cercle vicieux de la perte et du regain de tissu adipeux parce que notre «nouvel» organisme aura besoin d'un nombre restreint de calories pour fonctionner comme avant.

Pas convaincu? Lisez ce qui suit:

- 1 livre de tissu musculaire peut brûler jusqu'à 70 calories par jour.
- 70 calories par jour signifient 490 calories par semaine ou 25 480 calories par année.
- Il y a 3 500 calories dans une livre de graisse. Par conséquent, la perte d'une livre de tissu musculaire équivaut à une perte de capacité de brûler plus de sept livres de graisse par année. Si nous ne réduisons pas notre apport calorique après le régime, ces sept livres finiront pas retrouver leur chemin vers nos cellules adipeuses pressées de faire des réserves.

Le message est clair: en perdant une partie du tissu musculaire, nous ralentissons notre métabolisme, le principal moteur de la combustion du gras. Chaque fois que nous nous mettons au régime, nous perdons une partie de notre tissu musculaire, nous ralentissons notre métabolisme et nous stimulons nos enzymes de stockage de la graisse. Nous nous disposons à prendre encore plus de poids et c'est exactement ce qui se produit. Comme la graisse est dégradée à l'intérieur des cellules musculaires, si nous augmentons la quantité de tissu musculaire, plutôt que de mettre toute notre énergie à réduire les calories, nous augmenterons en bout de ligne la taille et l'efficacité des «brûleurs de gras».

Le cortisol

Le coupable de la destruction du tissu musculaire se trouve dans nos systèmes hormonaux. Nos diverses hormones régulent de nombreuses activités métaboliques de l'organisme. Certaines des hormones sont anabolisantes, c'est-à-dire qu'elle contribuent à fabriquer les tissus. La testostérone (oui, même chez les femmes) et l'hormone de croissance sont les premières qui viennent à l'esprit. D'autres hormones sont considérées cataboliques parce qu'elles stimulent la dégradation des tissus. L'hormone catabolique la plus connue est le cortisol, une hormone libérée par les glandes surrénales lorsque nous sommes stressés. Lorsque nous suivons un régime, nous nous soumettons à une famine artificielle et notre organisme considère qu'il est en situation de stress.

Lorsque l'organisme reconnaît ce nouveau stress, il libère une bonne quantité d'adrénaline et de cortisol. Ces deux hormones sont chargées de satisfaire les besoins énergétiques de l'organisme en situation de stress et elles veulent vraiment faire leur travail. C'est la fameuse réaction de combat ou de fuite que nous avons héritée de nos ancêtres. Notre organisme a mis au point ce système de régulation positive incroyablement rapide pour assurer la survie de la race humaine. En effectuant une régulation positive des hormones du stress, nous pouvons rapidement dégrader les sucres, les graisses et les protéines dans leurs plus simples composantes afin de fournir de l'énergie et de remplacer les réserves adipeuses. Personne ne sait combien de temps va durer la crise, et l'énergie stockée sous la forme de graisse est habituellement la dernière à partir.

S'il n'y a plus d'apport de nouvelles protéines (acides aminés) dans le système, le cortisol n'aura d'autre choix que d'aller les chercher dans les tissus organiques au moyen d'un processus appelé la gluconéogenèse; le tissu musculaire est le premier à être atteint. Le cortisol vole une partie de l'azote des protéines structurales des muscles. Après avoir pris l'azote, le cortisol transforme rapidement la protéine en sucre pour accroître l'énergie et maintenir la concentration de glucose dans le cerveau. Cela cause un dommage de longue durée et c'est ce qui explique pourquoi nous reprenons du poids après avoir suivi un régime. Le cortisol gruge le tissu musculaire dont nous nous servons pour brûler la graisse. Voici une équation facile à retenir : excédent de stress égale excédent de cortisol qui souvent égale gain de tissu adipeux. Et nous qui pensions que nous gagnions du poids en période de grand stress à cause de toutes les petites douceurs que nous avalions. Évidemment, ça joue aussi.

Comme nous le savons, toute perte du tissu musculaire est une victoire pour le tissu adipeux. Le tissu adipeux est gagnant chaque fois que nous perdons ne serait-ce qu'une once de tissu musculaire. Pour épargner le tissu musculaire, nous devons réduire la concentration de cortisol ou augmenter la concentration des hormones anabolisantes. Nous avons déjà mentionné que la libération de cortisol augmente lorsque nous jeûnons ou suivons un régime réduit en calories. Plus nous nous privons de calories, plus nous produisons de cortisol. Mais se priver n'est pas la seule façon d'augmenter la concentration de cortisol. Elle augmente aussi au cours de plusieurs autres situations stressantes de la vie – la maladie, la visite de la belle-famille, les crises de panique déclenchées par le travail, les bouchons de la circulation, la perte d'un emploi, la perte d'un être cher ou encore les factures qui s'accumulent en sont tous des exemples. Nous pompons des hormones du stress tous les jours, souvent sans relâche ni répit. Et nous nous stressons souvent pour des situations anticipées plutôt que des situations réelles. Peu importe la façon de l'envisager, le stress est le stress, qu'il soit réel ou imaginaire. Une citation de Mark Twain résume bien cette pensée : « J'ai vécu des choses terribles dans ma vie, dont quelques-unes se sont réellement produites. » Pour vraiment faire la guerre au gras, il faut changer notre réaction devant la réalité et apprendre à faire face à de nombreuses situations du quotidien avec un peu plus de calme.

La méthode choc qui consiste à éliminer les lipides ne fonctionnera tout simplement pas parce que l'organisme ressent le stress et réagit en conséquence. Lorsque nous modifions nos habitudes alimentaires en suivant un régime à faible teneur en calories, en gras, en protéines ou en glucides, l'organisme s'en rend compte immédiatement et envoie une réaction de stress. Personne ne peut déjouer la nature. Et comme si cela ne suffisait pas, en suivant un régime, nous diminuons également la production des enzymes lipolytiques et augmentons celles qui emmagasinent la graisse.

PRENEZ DEUX COMPRIMÉS ET RAPPELEZ-MOI LORSQUE VOUS SEREZ MAIGRE !

Les scientifiques ont dressé la liste des principaux signaux de faim et de satiété (pleine satisfaction) que l'organisme utilise pour accroître l'appétit et ils ont découvert que ces signaux sont régulés par un centre de contrôle situé dans le cerveau et qu'on appelle adipostat. L'adipostat ressemble au thermostat qui règle la chaleur dans la maison. Il peut signaler que nous avons faim (je suis affamé) ou que nous sommes repus (je ne peux plus rien avaler). Le fait de se mettre au régime, en augmentant la réaction de stress (cortisol), perturbe ces signaux et la réaction de faim triomphe.

Ces signaux de faim sont si importants que les grandes sociétés pharmaceutiques ont dépensé des millions de dollars pour mettre au point des médicaments qui aideront à les contrôler. Huit nouveaux médicaments autorisés par la FDA des États-Unis agissent en modifiant le métabolisme de l'individu, car il signale au cerveau d'accroître la réaction de satiété (sensation de pleine satisfaction). Le neuvième médicament et le plus récent, Xenical (Orlistat), empêche l'absorption de graisses alimentaires par le tractus gastro-intestinal.

Les médicaments contre l'obésité n'ont jamais été conçus pour servir de remède miracle servant à la perte du tissu adipeux. Le Dr Samuel Klein, médecin et professeur de médecine et directeur du Centre for Human Nutrition à la faculté de médecine de l'Université de Washington, a déclaré en juin 1999, dans un éditorial paru dans le *American Journal of Clinical Nutrition,* que la pharmacothérapie pourrait s'avérer fort utile pour maintenir son poids plutôt que pour tenter d'en perdre. Tout de même, bon nombre de personnes obèses ou ayant de l'embonpoint cherchent la solution miracle la plus rapide même si elle comporte des effets secondaires.

Il n'y a pas de solution miracle quand vient le temps de perdre du tissu adipeux de manière permanente. Notre organisme aime la graisse. Il aime en emmagasiner et il déteste en laisser partir. Il est avare de son gras. C'est pourquoi la guerre au gras est si pénible. Notre meilleur espoir, c'est de comprendre comment nous pouvons gagner cette guerre et je vais vous l'expliquer dans les chapitres suivants.

LES GLYCOMACROPEPTIDES

Les glycomacropeptides sont des peptides de protéine de faible poids moléculaire qui exercent une fonction antibactérienne et antimicrobienne. Ce qui réjouit les chercheurs sur l'obésité, c'est l'étonnante capacité à stimuler une hormone qui peut contrôler nos réactions de faim.

Les glycomacropeptides sont de puissants stimulateurs d'une hormone appelée cholécystokinine (CCK), qui joue plusieurs rôles essentiels dans le système gastro-intestinal. La CCK stimule la libération d'enzymes du pancréas et augmente la contraction de la vésicule biliaire et la motilité intestinale. L'une des actions les plus incroyables de la CCK vient de sa capacité à réguler notre apport alimentaire en envoyant des signaux de satiété au cerveau, ce qui en fait une aide possible lorsque nous suivons un régime. Dans des études effectuées sur des animaux, une augmentation de la CCK est toujours suivie d'une importante réduction de l'apport alimentaire. Dans des études chez l'être humain, on a vu que les glycomacropeptides des protéines du lactosérum augmentaient la production de CCK de 415 % dans les 20 minutes suivant l'ingestion. De plus, les glycomacropeptides peuvent aussi avoir la capacité de prévenir l'indigestion et les brûlures gastriques. Dans des études effectuées sur des rats, les glycomacropeptides ont réussi à diminuer de 53 % la sécrétion acide dans l'estomac. On ne peut que se demander quels autres effets on découvrira à propos des glycomacropeptides.

Les isolats de protéines de lactosérum ne contiennent pas tous des glycomacropeptides. Les protéines du lactosérum par échange d'ions contient d'infimes quantités de glycomacropeptides ou pas du tout. Le lactosérum à teneur élevée en alpha-protéines d'AlphaPure[MD] contient jusqu'à 20 % de fractions de cet important peptide (voir annexe II).

PARTIE III

Place au changement !

> La plus grande découverte de toute génération est que les êtres humains peuvent changer leur vie en changeant leur attitude !
>
> Albert Schweitzer

Le moment est venu de réfléchir à la façon d'utiliser nos nouvelles connaissances pour apporter un changement dans notre vie. D'après mon expérience, si vous suivez le conseil que voici, non seulement vous réussirez à faire fondre la graisse mais elle ne reviendra pas. Les parties I et II du livre vous ont fourni beaucoup d'information. Vous savez désormais comment votre organisme fonctionne et comprenez pourquoi les régimes que vous avez déjà suivis ne vous ont pas fait gagner la guerre contre le gras. Et vous avez aussi une idée de ce qu'il faut faire pour aller au-delà de vos batailles constantes contre le tissu adipeux.

Maintenant que vous avez acquis les connaissances, il faut passer à l'action. Vous avez toujours eu le pouvoir d'apporter les bons changements mais ce qui diffère aujourd'hui, c'est que vous savez comment faire pour leur donner un sens.

C'est le temps de choisir votre stratégie. Celle-ci ne sera pas la même que celle du voisin parce que vous menez votre propre guerre contre le gras. Peut-être êtes-vous de ceux dont le poids joue au yo-yo ou du genre à vous gaver. Vous aurez à vaincre votre peur de l'échec en raison de nombreuses tentatives ratées contre la perte permanente de tissu adipeux. Soyez assuré que *La guerre au gras* n'a rien à voir avec les programmes de perte de poids que vous avez déjà entrepris. Finis les régimes qui vous déprimaient, vous rendaient irritables et vous incitaient à vous gaver de douceurs. Cette fois-ci, vous pouvez perdre une quantité considérable de graisse et améliorer votre tissu musculaire utile, votre force, votre santé et votre contrôle. À la fin de la partie III, vous serez en mesure d'utiliser vos nouvelles connaissances et de concevoir votre propre programme de perte de graisse. Les chapitres qui suivent vous présenteront des principes en matière d'alimentation et d'exercice et vous suggéreront des suppléments qui pourront vous aider. Je vous donnerai la marche à suivre pour les 45 premiers jours ainsi que les conseils nécessaires pour que vous continuiez d'obtenir des résultats votre vie durant.

Puisque vous vous apprêtez à apprendre comment concevoir votre programme d'alimentation et d'activité, décidez de vous y mettre aujourd'hui même. *La guerre au gras* n'est pas un autre livre de régime. Les stratégies et les technologies synergiques présentées ici vous aideront à mettre fin à la guerre contre votre corps et à faire la paix avec un corps mince et en santé. La perte de graisse est-elle facile? Vous connaissez déjà la réponse à cette question: bien sûr que non. Si elle l'était, vous n'auriez pas autant de difficulté et vous n'auriez pas non plus à lire ce livre. Est-il possible de perdre du gras pour toujours? Certainement! La perte de poids sera plus facile que vous ne l'auriez cru possible à la fin de votre période de transformation de 45 jours. Alors, qu'en dites-vous? Allons-y!

CHAPITRE 11

Les principes alimentaires de
La guerre
au gras

La guerre au gras n'est aucunement un autre livre de régime. Je n'ai pas l'intention d'aborder les diverses stratégies pour perdre du poids ; je veux plutôt insister sur des moyens naturels d'accroître la capacité de l'organisme à brûler la graisse. Même si cet aspect est la clé du succès, il ne serait pas juste pour vous, lecteur, que je ne traite pas de la consommation de calories quotidienne optimale. En effet, la combinaison de stratégies alimentaires efficaces avec des types d'activité et de suppléments nutritionnels proposée par cet ouvrage rendra votre plan efficace.

Pour accroître le tissu musculaire et l'énergie ainsi que pour brûler du gras, votre organisme a besoin du bon combustible. Voici une équation facile à retenir : l'énergie vient du combustible (mesuré en calories) et le combustible vient des aliments. Cela signifie qu'il faut manger, et ce, régulièrement. Le secret, c'est de fournir à votre organisme le bon combustible aux bons intervalles. Pensez à l'exemple du vieux tacot et de la voiture sport. Une personne dont le métabolisme est lent ressemble à un vieux tacot. Le vieux tacot ne donnera pas un bon rendement à son propriétaire ; en fait, ce dernier sera heureux s'il arrive seulement à se rendre du point A au point B. Le tacot bouffe de l'essence et ne l'utilise pas efficacement lorsqu'il avance à grand-peine. La personne dont le métabolisme est lent n'utilise pas non plus son combustible de façon efficace ; ce dernier sera stocké comme réserve (tissu adipeux). Par contre, la personne ayant un métabolisme rapide et un tissu musculaire suffisant ressemble à la voiture sport. La voiture sport procurera à son propriétaire tout le rendement dont il a besoin, mais il lui faut le bon combustible au bon moment pour obtenir une performance optimale.

Comme le métabolisme est la vitesse à laquelle l'organisme transforme les aliments en énergie, il est le facteur déterminant de la composition de l'organisme. C'est aussi à ce niveau que les régimes échouent : lorsque nous limitons notre apport alimentaire, notre métabolisme s'ajuste en ralentissant son rythme. Le contraire est également vrai. Si nous consommons la quantité suffisante d'aliments, notre métabolisme s'ajustera en s'accélérant.

MANGEZ ET PERDEZ PLUS DE GRAISSE

Lorsque les gens décident de perdre de la graisse, la première chose qu'ils font, c'est de se mettre au régime. Lorsque les gens au régime se privent de nourriture et de calories, la première chose qu'ils éliminent, ce sont les goûters, sans se rendre compte qu'un goûter approprié peut s'avérer très utile pour faire la guerre au gras. Les gens au régime qui éliminent les goûters finissent habituellement par manger en plus grande quantité aux repas principaux et emmagasinent rapidement de la graisse. Les goûters sains comblent les creux entre les repas lorsque la glycémie baisse. Les baisses de glycémie, si l'on ne s'en occupe pas, mènent à une consommation excessive de calories aux repas principaux et probablement à des frénésies alimentaires pour satisfaire les fringales.

Pour arriver à brûler la graisse en suivant la méthode de *La guerre au gras*, vous ne devriez jamais passer plus de trois heures de veille sans manger quoi que ce soit. Un intervalle de quatre heures entre les repas est nettement trop long. Au bout de quatre heures environ, la glycémie a tendance à baisser et l'organisme commence à se préparer à stocker du gras en passant au mode préhistorique de protection contre la famine. D'après mon expérience et celles d'autres chercheurs, l'intervalle idéal entre les repas est de deux heures et demie à trois heures et demie. De cette façon, l'organisme ne passe jamais au mode de stockage.

En général, si nous devons manger à toutes les deux heures et demie à trois heures et demie, nous devrons alors prendre cinq à six repas par jour ; ne paniquez pas tout de suite ! Lorsque je parle de repas, je ne parle pas d'un repas principal plein de calories. Je parle de repas de 300 à 500 calories (pas plus). Ils ne doivent donc pas contenir beaucoup de calories mais plutôt des nutriments. Il a été démontré que ce nombre de calories est la limite optimale pour maximiser la lipolyse. Si vous consommez plus de 500 calories, votre organisme commencera immédiatement à stocker l'excédent sous la forme de gras. Évidemment, je ne peux exagérer l'importance d'un équilibre entre les macronutriments (glucides, graisses alimentaires et protéines) à chaque repas, à l'exception du dernier de la journée qui ne contiendra pas de glucides – cela est impératif pour que le plan de *La guerre au gras* réussisse.

La fréquence des repas

La première chose à établir est le nombre de fois que vous serez en mesure de manger chaque jour. Cela dépendra du temps que vous passez à l'état de veille. Par exemple, si vous êtes capable de dormir 10 heures par nuit (et peu de gens y arrivent), vous serez réveillé pendant 14 heures. Comme je recommande de ne pas passer plus de deux heures et demie à trois heures et demie sans manger, vous devriez techniquement prendre au moins cinq repas par jour. Si vous prenez au moins les 8 heures de sommeil recommandées par nuit, vous serez réveillé pendant 16 heures et devrez consommer 5 ou 6 repas par jour. Si vous êtes comme la majorité de la population et que vous dormez environ six heures par nuit, vous devrez donc consommer six repas par jour. Chacun de ces repas restera dans la zone recommandée de calories et de macronutriments.

J'ai appris en suivant mes clients que la plupart des gens ont de la difficulté à se conformer à cette règle. Nous sommes tous très occupés. Que vous soyez un homme ou une femme d'affaires, un athlète ou une personne au foyer, la préparation (sans parler de la consommation) de cinq ou six repas par jour peut s'avérer fastidieuse. C'est pourquoi je recommande de prendre deux ou trois repas liquides par jour. Comme vous le verrez, ils sont non seulement rapides à préparer, mais ils regorgent de macronutriments (s'ils sont préparés adéquatement) et ne contiennent pas beaucoup de calories.

Les proportions de macronutriments

Je me suis efforcé de ne recommander aucun de la multitude de régimes qu'on trouve dans le marché. *La guerre au gras* n'est pas un programme amaigrissant; c'est un plan de vie qui vous sera utile grâce aux connaissances que vous avez acquises sur la manière dont l'organisme stocke et brûle le gras. Cependant, la confusion qui règne au sein de l'industrie des régimes porte non seulement sur le nombre de calories attribué à chaque aliment mais aussi sur les proportions de macronutriments de ces aliments. Pour obtenir les meilleurs résultats possibles en appliquant les principes alimentaires de *La guerre au gras*, la teneur en glucides, en lipides (graisses alimentaires) et en protéines doivent respecter des ratios qui optimisent l'effet lipolytique. J'ai analysé un bon nombre des proportions de macronutriments utilisées dans les régimes les plus populaires et le ratio qui semble donner les meilleurs résultats auprès de la majorité des gens est un plan 40-30-30.

Le plan 40-30-30 correspond à la répartition des divers macronutriments suivante : à chaque repas, 40 % de glucides, pas plus de 30 % de lipides et 30 % de protéines. Cette façon de manger a d'abord été popularisée par le Dr Barry Sears, auteur du best-seller *The Zone*, mais ce n'est pas lui qui a inventé la stratégie qui tient compte du fait que manger est un événement hormonal. J'ai mentionné les nombreux problèmes que la sécrétion d'insuline peut causer en plus du gain de tissu adipeux. Pour qu'une stratégie alimentaire réussisse à faire perdre du gras de manière permanente, il faut qu'elle tienne compte de l'effet des aliments sur l'insuline. C'est l'une des raisons pour lesquelles je ne crois pas à un régime riche en glucides ; nos ancêtres préhistoriques (dont nous avons hérité 99,9 % des gènes) avaient une alimentation équilibrée qui s'approchait du ratio 40-30-30. Je recommande de respecter le plus possible les proportions suivantes à chaque repas :

- 40 % de glucides (en réduisant la quantité d'amidons et de sucres provenant des aliments transformés, du pain blanc, des pâtes et du riz poli et en insistant sur les aliments à faible indice glycémique comme les légumes, les légumineuses, les fruits et certains grains entiers). Les glucides fournissent le combustible sous la forme de glucose (sucre dans le sang) requis pour l'activité cérébrale et musculaire.
- 30 % de lipides (en réduisant les graisses comme le beurre, le fromage, les jaunes d'œuf, le gras de bœuf, le lard, les graisses trans, la margarine, les frites et les croustilles et en insistant sur les graisses de la famille des oméga-3 et oméga-6 comme l'huile de lin, les huiles de poisson, l'huile d'olive, les noix et les avocats). Les graisses participent à l'équilibre du sucre dans le sang, fournissent les matières premières des hormones, fabriquent du combustible pour l'énergie à long terme et fortifient les parois cellulaires et les muqueuses.

- 30% de protéines comme la viande maigre, le poulet (poitrine), le poisson, le fromage cottage à faible teneur en gras, le soja et le lactosérum. Les protéines aident à stabiliser la glycémie, favorisent la croissance et la reconstitution cellulaire, la production hormonale, la production des enzymes (digestives et métaboliques), la production des neurotransmetteurs, le métabolisme cellulaire, l'équilibre des fluides organiques ainsi que le maintien du système immunitaire.

Pour garder la concentration du tissu musculaire à son maximum et aider l'organisme à maintenir toutes ses autres fonctions, l'organisme doit rester dans un milieu anabolisant (qui favorise la croissance) constant. Le respect de ces principes alimentaires généraux vous permettra de maximiser les effets anabolisants.

LES RYTHMES CIRCADIENS DE L'ALIMENTATION

Les rythmes circadiens sont les modèles quotidiens naturels des divers processus de l'organisme. Ils sont souvent déclenchés par le cycle de la lumière du jour et de l'obscurité. La concentration de l'hormone de croissance monte et baisse suivant un rythme assez régulier pendant le jour et la nuit, atteignant des pics pendant les phases les plus profondes du sommeil. La concentration de la testostérone, l'hormone mâle, atteint un pic le matin puis diminue tranquillement. Presque toutes les fonctions biochimiques qui agissent naturellement ont une réaction circadienne correspondante. C'est le cas des cycles de la faim et de l'alimentation.

Comme nous produisons la majeure partie de notre énergie le jour et que nous commençons à ralentir le processus la nuit pour la phase du sommeil, l'alimentation doit suivre étroitement ce cycle métabolique. Pourquoi manger peu ou pas au déjeuner alors que vous voulez produire une grande quantité d'énergie le matin ? Et pourquoi voudriez-vous prendre un énorme souper alors que vous allez vous endormir peu de temps après ? C'est ici que bon nombre de gens perdent la guerre contre le gras.

Pour profiter de notre rythme naturel de ravitaillement et d'activité, nous devons prendre conscience que le gras sera brûlé surtout pendant les heures de veille, lorsque notre métabolisme fonctionne à plein régime. Par conséquent, nous devons manger suivant le rythme avec lequel notre organisme est capable d'utiliser les sources de combustible. Et comme le métabolisme est à son meilleur le jour et que le matin est le meilleur moment pour brûler du gras, le repas le plus copieux devrait donc être consommé le matin plutôt que le soir.

Aujourd'hui, en Amérique du Nord, nous nous y prenons à l'envers. De nombreuses personnes croient que, en sautant le petit déjeuner, elles auront un repas de moins dans le système pour les faire grossir. Erreur! Cela équivaut à amorcer un long voyage sans avoir fait le plein d'essence. L'organisme a besoin de combustible le matin pour réveiller son moteur. Faire de l'exercice en se levant après avoir jeûné toute la nuit vous réveillera encore davantage. C'est le meilleur moment pour mettre en branle les hormones lipolytiques qui travailleront ensuite pendant des heures.

Les gens font souvent l'erreur non seulement de manger leurs aliments en quantité inadéquate, mais aussi de choisir les *mauvais* aliments toute la journée. Par exemple, un petit déjeuner type fait de céréales sucrées ou de mets frits qui ont tous un indice glycémique élevé et contiennent les mauvais types de graisses alimentaires, provoquera l'arrêt de la lipolyse pendant des heures; or, votre succès en matière de perte de tissu adipeux se mesure toujours d'après votre dernier repas. Ces mêmes personnes reviennent exténuées du travail et s'installent devant leur plus gros repas de la journée qui, encore une fois, est constitué des mauvais aliments. Peu de temps après, elles se mettent au lit, le ventre encore plein, et devinez ce qui arrive? Leur organisme a tout le temps qu'il faut pour emmagasiner la graisse jusqu'aux petites heures du matin.

Voici donc quelques suggestions pour manger tout en faisant la guerre au gras:

- Les repas les plus copieux doivent être consommés le matin et la quantité de nourriture prise à chaque repas doit diminuer progressivement tout au long du jour. Aucun repas ne doit dépasser 500 calories. J'ai découvert qu'il vaut mieux avoir l'estomac moins plein que trop plein. Ainsi, il mélange plus facilement les sucs digestifs et permet une digestion plus efficace. Le repas du soir doit compter entre 300 et 350 calories et contenir peu ou pas de glucides, à part les légumes autorisés. La forte concentration d'insuline agit contre l'hormone de croissance. Le fait de manger les bons légumes permettra aux glucides à faible indice glycémique de ne pas nuire au cycle de l'hormone de croissance. Une faible réponse de l'insuline à votre dernier repas du jour est le secret pour brûler du gras toute la nuit.

- Essayez de manger à toutes les deux heures et demie à trois heures et demie pour optimiser la lipolyse.
- Au moins deux des repas doivent se composer de boissons protéiques de *La guerre au gras*, qui contiennent des protéines de haute valeur biologique, des fruits de la famille des baies (de préférence des bleuets) ou de la famille des melons. Vous trouverez 10 recettes de boissons protéiques avec leurs proportions de macronutriments à la fin du chapitre. Si vous faites de l'exercice le matin, vous devriez prendre l'une de ces boissons immédiatement après.
- Il est très important de se contenter des aliments à faible indice glycémique. Si vous suivez cette règle et le reste du programme de *La guerre au gras*, vous réussirez. Comme les protéines sont le principal amplificateur métabolique des macronutriments, il est également très important de consommer des protéines à chaque repas. De plus, il faut consommer au moins 15 ml/1 c. à table d'huile de lin biologique par jour pour apporter à l'organisme les acides gras essentiels dont il a besoin pour brûler le tissu adipeux.

LES BOISSONS PROTÉIQUES DE *LA GUERRE AU GRAS*

L'achat d'un mélangeur puissant pourrait s'avérer l'un de vos meilleurs placements. En utilisant des fruits entiers comme base et en ajoutant de l'eau pour obtenir la consistance voulue, vous ajouterez aussi des phytonutriments savoureux à votre régime, comme l'a voulu la nature.

Un mot sur la consommation de jus

De nos jours, tout le monde semble consommer des jus. Nous sommes bombardés par les infomerciaux sur les bienfaits du jus. Je n'ai pas l'intention de vous gâcher votre plaisir ni celui de quiconque, mais il reste que la consommation de jus n'est pas pour tout le monde. Tout au long de cet ouvrage, j'ai mentionné la foule de problèmes associés à l'hyperglycémie et à ses effets sur l'insuline – l'hormone qui a le plus d'impact sur notre métabolisme. C'est pourquoi j'insiste, d'une part, sur la réduction des glucides à indice glycémique élevé ou des glucides à libération rapide et, d'autre part, sur la consommation de glucides plus complexes comme ceux qu'on trouve dans les fruits et les légumes biologiques frais.

Comme je l'ai noté au chapitre 6, tous les glucides finissent par se dégrader en sucre dans l'organisme. Peu importe que vous consommiez 60 ml/1/4 tasse de sucre pur ou que vous mangiez une pomme de terre au four : les deux représentent chacun 60 ml de sucre pour votre organisme qui prendra les mesures nécessaires pour refaire l'équilibre de la glycémie. L'organisme fonctionne mieux lorsqu'il jouit d'une très faible marge de sucre dans le sang et tout ce qui perturbe cet équilibre cause des problèmes à l'ensemble du système.

L'organisme fonctionne mieux avec une concentration de glucose équivalant à 100 mg/dl (milligrammes par décilitre) de sang. En consommant des aliments comme des jus de fruits, en particulier sans la peau et la pulpe du fruit, vous donnez du sucre pur à votre système déjà surmené. Les fruits ne sont pas faits pour être pelés et débarrassés de leur pulpe. C'est habituellement dans la peau que se trouvent les plus importants flavonoïdes phytochimiques. Les jus de fruits augmentent également la valeur calorique des boissons sans leur apporter d'autres nutriments utiles. Rappelez-vous que nous tentons de ne pas dépasser la marque des 500 calories par repas, y compris avec les boissons protéiques de *La guerre au gras*. Le seul moment où je recommanderais de prendre un jus pur est avec une boisson de *La guerre au gras* après avoir fait de l'exercice. C'est le seul moment où votre organisme ne devrait pas avoir de difficulté à transformer les sucres en réserves de glycogène plutôt qu'en réserves de gras.

Comprenez-moi bien. Je ne vous dis pas de ne plus boire de jus de fruits. Je veux simplement vous sensibiliser au fait que les jus de fruits peuvent se transformer en graisse grâce aux processus biochimiques de l'organisme. Au lieu d'utiliser du jus de fruits pur, je vous propose donc de passer un fruit entier au mélangeur.

Un mot sur les édulcorants « naturels »
Certains fabricants tentent de profiter du marché en utilisant des édulcorants qui sont théoriquement naturels, comme le fructose qu'on trouve couramment dans le sucre des fruits. Une fois de plus, ne vous méprenez pas ! Le fructose qu'on trouve dans les fruits est bon pour nous ; c'est quand on l'extrait de son milieu naturel (fruit) et qu'on l'utilise comme édulcorant

qu'il commence à être nocif. En 1998, les Drs Levi et Werman ont étudié la réaction de rats à qui l'on avait donné un régime riche en fructose. Les résultats démontrent que la destruction de l'hémoglobine (la protéine qui sert au transport de l'oxygène dans les globules rouges) et la peroxydation lipidique (qui accroît l'oxydation des acides gras par les radicaux libres) étaient plus grandes chez ces rats que chez les rats ayant reçu du saccharose ou du glucose.

La protéine conjonctive dominante, le collagène, peut être endommagée par une réticulation causée par une forte consommation de fructose. D'autres recherches laissent entendre que la consommation prolongée de fructose peut accélérer le cycle du vieillissement. Dans bon nombre d'aliments transformés et de boissons, le fructose se cache sous la forme de sirop de maïs à forte teneur en fructose. De nombreux nutritionnistes recommandent le fructose pour remplacer le saccharose chez les personnes diabétiques ou souffrant d'hypoglycémie réactive, car le fructose ne cause aucune fluctuation marquée de la glycémie. La vie est trop précieuse pour que l'on prenne des risques, en particulier lorsqu'on peut profiter de solutions de rechange «véritablement» naturelles. Il vaut mieux encourager les fabricants qui font un effort pour donner au consommateur les ingrédients les plus sains.

En utilisant des formules de protéines alimentaires aromatisées naturellement, vous pourrez réduire votre consommation calorique globale sans réduire l'apport de nutriments. Si vous avez besoin de jus de fruit pour donner à vos boissons un goût plus sucré, essayez le jus dilué, moitié jus, moitié eau, et rappelez-vous de faire preuve de discernement lorsque vous choisissez vos boissons. Un dernier mot sur les boissons de *La guerre au gras* : rien ne remplace la bonne eau pure.

Des recettes de boissons protéiques énergisantes

Lorsque vous ajoutez les divers ingrédients suggérés, comme un fruit ou du yogourt, essayez dans la mesure du possible d'utiliser des produits biologiques. La teneur en nutriments et l'absence de contaminants valent certainement la différence dans le prix. Voici une liste de 10 des boissons protéiques énergisantes les plus populaires. Elles comptent moins de 500 calories et profitent donc au maximum de la lipolyse. Elles sont également équilibrées de façon à contenir les trois macronutriments pour donner un sentiment de satiété. Essayez-les ou inventez-en d'autres. Quoi qu'il en soit, ces repas liquides apporteront à votre organisme le combustible à indice d'octane élevé qu'il lui faut pour fabriquer du tissu musculaire et pour brûler le gras. Bon appétit!

Premier conseil sur les boissons: Lorsque vous mélangez des isolats de protéines alimentaires spécialisés, assurez-vous de les mélanger d'abord dans un shaker afin d'éviter d'endommager les fragiles liaisons protéiniques. Puis ajoutez-les à la boisson à la fin et mélangez seulement pendant quelques secondes à faible vitesse (juste assez pour qu'ils s'incorporent au reste). Ainsi, les protéines de haute valeur biologique atteindront votre organisme sans être dénaturées.

Deuxième conseil sur les boissons: La valeur nutritionnelle indiquée pour chaque boisson donne la valeur approximative de chaque nutriment. Ces recettes n'ont pas besoin d'être suivies à la lettre. Servez-vous de votre jugement lorsque vous les préparez. Selon vos besoins en protéines, que vous calculerez au chapitre 14, vous devrez augmenter ou diminuer les quantités. J'ai quand même fait de mon mieux pour vous donner une bonne ligne directrice à suivre.

Troisième conseil sur les boissons: Même si votre boisson est de consistance liquide, il faut toujours la mastiquer quelques secondes avant de l'avaler. La digestion se fera beaucoup mieux puisqu'elle commencera dans la bouche avec la salive. Après tout, les aliments ne peuvent pas nous aider à perdre de la graisse s'ils ne sont pas digérés et absorbés de façon efficace.

La recette de base des boissons de *La guerre au gras* contient:
- de 25 à 30 g/1 oz (teneur en protéines) d'isolats de protéines en poudre (lactosérum, soja ou mélange) sans saveur ou à l'arôme naturel de vanille
- 15 ml/1 c. à table d'huile de lin
- 350 ml/1 1/2 tasse d'eau

Combiner tous les ingrédients dans un shaker. Mélanger jusqu'à consistance veloutée.

Pour	Mélanger/Ajouter la base de la boisson à :	Valeurs approx.
Blues de *La guerre au gras*	150 ml/1 tasse de bleuets 125 ml/1/2 tasse de yogourt aux bleuets faible en gras	Calories : 445 Protéines : 30 g Glucides : 43 g AGE : 14 g
Noir et bleu	125 ml/1/2 tasse de mûres 125 ml/1/2 tasse de bleuets 125 ml/1/2 tasse d'eau	Calories : 450 Protéines : 30 g Glucides : 25 g AGE : 14 g
Les mûres sont de retour	150 ml/1 tasse de mûres de Boysen 125 ml/1/2 tasse d'eau	Calories : 316 Protéines : 25 g Glucides : 25 g AGE : 14 g
Canneberge et pomme	1 pomme moyenne 250 ml/1 tasse de canneberges 125 ml/1/2 tasse d'eau	Calories : 378 Protéines : 25 g Glucides : 41 g AGE : 14 g
Délice piquant	150 ml/1 tasse de jus de pamplemousse frais 250 ml/1 tasse de groseilles	Calories : 480 Protéines : 30 g Glucides : 45 g AGE : 14 g
Surprise verte	125 ml/1/2 tasse de jus d'orange fraîchement pressé 1 banane 2 kiwis	Calories : 485 Protéines : 30 g Glucides : 68 g AGE : 14 g
Champ de fraises	150 ml/1 tasse de fraises 125 ml/1/2 tasse de yogourt aux fraises faible en gras 125 ml/1/2 tasse d'eau	Calories : 415 Protéines : 30 g Glucides : 38 g AGE : 14 g
Folie passagère	250 ml/1 tasse d'ananas 250 ml/1 tasse de melon d'eau 125 ml/1/2 tasse d'eau	Calories : 430 Protéines : 30 g Glucides : 47 g AGE : 14 g
Melon moelleux	250mL/1 tasse de jus d'orange fraîchement pressé 250 ml/1 tasse de cantaloup en dés	Calories : 435 Protéines : 30 g Glucide : 45 g AGE : 14 g
Superénergie !	125 ml/1/2 tasse de jus d'orange fraîchement pressé 250 ml/1 tasse d'ananas 250 ml/1 tasse de bleuets	Calories : 489 Protéines : 30 g Glucide : 58 g AGE : 14 g

● ●

À L'INTENTION DES ATHLÈTES ET DES PERSONNES QUI FONT BEAUCOUP D'EXERCICE

Si vous êtes un athlète ou que vous faites énormément d'exercice et que vous consommez l'une de ces boissons protéiques énergisantes après avoir fait de l'exercice, supprimez l'huile de lin et ajoutez environ 50 g/2 oz d'un mélange de glucides. Vous pouvez trouver des mélanges secs de glucides contenant des polymères de glucose dans le marché. Le contenu d'une pelle à main contient habituellement 50 g/2 oz de glucides.

CHAPITRE 12

Les 10 suppléments
pour perdre
du gras

«Je n'ai pas besoin de suppléments si mon alimentation est équilibrée.» Rien n'est moins vrai. Une mauvaise alimentation mène tout droit à la maladie et à l'obésité et réduit notre niveau d'énergie. Si vous croyez que seuls les pays du tiers monde souffrent de malnutrition, détrompez-vous. Des recherches menées récemment par le Department of Agriculture des États-Unis indiquent que la valeur nutritive des récoltes nord-américaines s'est détériorée depuis 20 ans et qu'elle continuera de se dégrader au cours de la prochaine décennie. L'agriculture a appauvri les sols à un point tel que les végétaux ne contiennent plus certains nutriments et que, par conséquent, notre organisme en est privé. Il faudrait déclencher une seconde révolution alimentaire.

Pour revitaliser un système alimentaire défaillant, on peut améliorer génétiquement les cultures de façon à extraire encore plus de nutriments du sol; accroître la diversité des récoltes alimentaires; réduire la perte de nutriments résultant des méthodes d'exploitation et des procédés de fabrication; modifier le choix d'aliments que nous consommons de façon à permettre une meilleure absorption des nutriments. Entre-temps, soyons réalistes et admettons que notre façon de nous nourrir nous fait souvent plus de tort que de bien. Selon moi, et selon bien d'autres chercheurs et professionnels de la santé, il serait sage de souscrire une «assurance cellulaire» en ajoutant à notre alimentation certains suppléments qui contiennent un ou quelques nutriments particuliers pouvant améliorer la capacité de l'organisme à neutraliser toxines et cancérogènes, à combattre les radicaux libres, à produire de l'énergie et à accélérer le métabolisme de façon à stimuler la lipolyse. Un apport de suppléments choisi intelligemment, associé à une alimentation saine, à un programme d'exercices adéquat et à suffisamment de repos, vous aidera à gagner la guerre du gras.

Il n'existe pas de remèdes miracles, mais certains nutriments efficaces peuvent accroître notre capacité à brûler de la graisse dans la mesure où nous ne négligeons pas d'autres aspects de notre mode de vie comme notre alimentation et l'activité physique. Après avoir mené des recherches minutieuses sur les meilleurs suppléments associés à la perte de poids offerts dans le marché, j'en suis venu à dresser une liste des 10 meilleurs suppléments pouvant vous servir d'alliés dans votre guerre contre le gras.

Les suppléments sont les renforts nécessaires à la victoire. Bien que les aliments énumérés ci-dessous, individuellement ou combinés les uns aux autres, aident à améliorer (directement ou non) le fonctionnement des cellules musculaires, des lipases, des protéines de transport et des mitochondries, certains font bien davantage que de combattre la graisse. Leur objectif est d'empêcher les cellules musculaires de devenir apathiques et faibles, à la suite d'une surcharge d'acides gras saturés et trans, d'un manque de lipases et de protéines de transport et d'une absence de résistance à l'insuline. En incluant dans votre régime les différents suppléments recommandés, vous verrez immédiatement augmenter vos chances de gagner votre guerre contre le gras. L'annexe II contient une liste de produits recommandés et je fournis dans les pages qui suivent des explications générales sur ces aliments et leurs effets possibles.

Cela signifie-t-il que vous pouvez manger n'importe quoi, ne pas faire d'exercices et dormir peu tout en voyant fondre une grande quantité de tissu adipeux? NON! Rappelez-vous qu'il n'existe pas de remèdes miracles et que vous remporterez la victoire seulement si vous combinez judicieusement tous les aspects de votre mode de vie.

● ●

AUX DIABÉTIQUES

Certains des suppléments mentionnés ci-dessous peuvent augmenter la sensibilité des cellules musculaires à l'insuline. Lorsque les cellules deviennent moins résistantes à l'insuline, elles en ont alors moins besoin. Une diminution de la sécrétion d'insuline entraîne une augmentation des concentrations de lipases, de protéines de transport et de mitochondries. Si vous avez de l'embonpoint et souffrez de diabète de type II, vous verrez que ces nutriments vous aideront grandement à stabiliser votre glycémie et, par conséquent, à réduire la destruction de l'hémoglobine — la protéine servant au transport de l'oxygène —, et à faire fondre la graisse. Quel avantage! Une mise en garde s'impose toutefois. Ces agents sensibilisants des cellules peuvent avoir une grande influence sur la baisse de la glycémie. Si vous ajoutez à votre alimentation certains des suppléments mentionnés ci-dessous et si vous prenez des médicaments servant à abaisser la concentration de glucose dans le sang comme l'insuline, le Metformin ou des sulfonylurés, vous devrez peut-être en réduire la dose afin d'éviter de souffrir d'hypoglycémie (diminution de la concentration de glucose dans le sang). Ce genre de situation se produit assez souvent. Si ce problème vous préoccupe ou si vous souffrez de diabète, veuillez consulter votre médecin ou votre éducateur spécialisé en diabète avant de commencer à prendre les nutriments suivants.

LES ISOLATS DE PROTÉINES

Le secret d'une perte de tissu adipeux à long terme est la constitution de cellules musculaires en santé qui s'occupent de dégrader la graisse. Comme les substances protéiques sont à la base de la lipolyse, il importe d'en ingérer suffisamment à intervalles réguliers au cours de la journée. Les protéines de haute valeur biologique donnent les meilleurs résultats. Heureusement, il est possible d'incorporer facilement et rapidement des protéines de haute valeur biologique à notre régime alimentaire. Nous pouvons mélanger des isolats de protéines alimentaires en poudre avec à peu près n'importe quel aliment pour composer en quelques minutes une boisson protéique énergisante.

Les isolats de protéines permettent à notre organisme de se reconstituer et de se renouveler (anabolisme) plus vite que jamais. L'activité anabolisante favorise le rétablissement des muscles nécessaire non seulement après des séances d'entraînement mais aussi pour soutenir les tensions quotidiennes. Plus l'anabolisme est efficace, plus notre organisme réussit à brûler la graisse indésirable.

Les deux principaux isolats de protéines dans le marché actuellement sont le lactosérum à teneur élevée en alpha-protéines et le soja non génétiquement modifié.

Les isolats de protéines de lactosérum

Le milieu scientifique considère à présent les protéines du lactosérum, le sous-produit de la fabrication du fromage, comme les protéines ayant la meilleure valeur biologique qui soit. Le lactosérum peut ne contenir ni lipides ni lactose. Voici quelques-uns des nombreux avantages des isolats de protéines de lactosérum par rapport à d'autres sources de protéines :

- Comme le lactosérum passe moins de temps dans l'estomac que les autres types de protéines, il entraîne une libération substantielle et rapide des acides aminés dans le sang et stimule ainsi l'anabolisme.
- Les formules de lactosérum ne contenant pas de lactose permettent aux personnes souffrant d'intolérance au lactose de profiter des avantages des acides aminés de haute valeur biologique du lactosérum.
- Le lactosérum aide à stimuler la sécrétion du glucagon, une hormone qui accroît la lipolyse.
- Le lactosérum stimule la libération par le foie de polypeptides spéciaux appelés somatomédines ou facteurs de croissance analogues à l'insuline, qui régissent la croissance musculaire.
- En milieu clinique, on a démontré que le lactosérum pouvait augmenter la réponse immunitaire jusqu'à 500 % en raison de la concentration élevée de l'acide aminé L-cystéine.
- Le lactosérum contient un petit composé protidique qu'on appelle glycomacropeptide (GMP), qui diminue l'appétit en stimulant la libération de la cholécystokinine ou CCK, une hormone

anorexigène. Des études récentes ont montré que les GMP du lactosérum faisaient augmenter la sécrétion de CCK d'un extraordinaire 415 %.

Les isolats de lactosérum de qualité coûtent très cher à produire, de telle sorte que bien des entreprises ajoutent des concentrés peu coûteux à leurs formules. Il importe donc d'être un consommateur averti par rapport aux différents types de protéines de lactosérum qui existent dans le marché. Rappelez-vous que seul le lactosérum ayant subi une extraction sur membrane par écoulement croisé contient des GMP.

Vérifiez également si le lactosérum renferme une forte proportion d'alpha-lactalbumine. Cette protéine du lactosérum constitue la principale composante du lait maternel (jusqu'à 25 %), d'où son étonnante activité anabolisante. Le système digestif absorbe rapidement cette protéine de faible poids moléculaire, permettant ainsi de réparer le tissu musculaire plus efficacement. On a aussi démontré que les isolats de lactosérum à teneur élevée en protéines alpha pouvaient libérer un des principaux antioxydants, le glutathion, plus efficacement que toute autre substance. Plus la concentration de glutathion est élevée dans l'organisme, plus nos chances d'être en santé augmentent.

Les isolats de protéines de soja

Les protéines de soja ont été les premiers suppléments protéiques en poudre offerts sur le marché. Cependant, les anciennes méthodes d'extraction, qui détruisaient la plus grande partie des isoflavones (hormones d'origine végétale aux propriétés bénéfiques), ne permettaient pas d'isoler le soja efficacement. De nouvelles méthodes d'isolement fournissent un isolat de protéines de qualité exceptionnelle, qui retient une grande quantité des isoflavones, ces minuscules et puissantes substances capables de lutter contre les maladies coronariennes et le cancer et de favoriser la perte de tissu adipeux.

En outre, les isolats de soja contiennent les plus grandes quantités de glutamine et d'acides aminés à chaîne ramifiée que l'on trouve dans la nature. Le tissu musculaire est principalement constitué de glutamine et d'acides aminés à chaîne ramifiée, qui servent de combustible pour le fonctionnement et la réparation des muscles. Voici quelques-uns des nombreux avantages des isolats de protéines de soja par rapport à d'autres sources de protéines :

- Le soja accélère le métabolisme en augmentant la production des hormones thyroïdiennes.
- Il a été démontré que le soja réussit à réduire le rapport insuline-glucagon.
- Le soja contient de la génistéine et du daidzéine, des isoflavones ou substances phytochimiques spéciales qui ont toute une gamme d'effets puissants sur l'organisme, dont celui d'empêcher le développement de certains types de cancer.
- Il a été prouvé que le soja pouvait accroître la densité osseuse chez les femmes ménopausées en augmentant la concentration d'œstrogènes, et en réduisant la formation d'ostéoclastes (les cellules qui détruisent la substance osseuse).
- Le soja peut empêcher le développement de maladies cardio-vasculaires en réduisant l'agrégation plaquettaire et l'oxydation des lipoprotéines de basse densité (LDL).
- Le soja agit aussi comme diurétique naturel, car les isoflavones stimulent la fonction rénale.
- Le soja favorise la fonte de tissu adipeux chez les femmes ménopausées en agissant comme agent œstrogénique (voir le chapitre 4 «L'adiposité chez la femme»).

La qualité des protéines de soja que vous choisissez peut faire toute la différence: le secret est leur contenu en isoflavones actives. La plupart des protéines de soja sont mal produites: les fabricants ont recours à l'extraction à l'alcool, ce qui élimine presque toutes ou toutes les isoflavones actives. Une grande partie des isoflavones de nombreux produits de soja faits en série, dont le tofu, sont aussi détruites au cours de leur fabrication.

Le procédé traditionnel qu'utilisent les Japonais pour faire fermenter le soja retient les isoflavones et stimule leur activité. Quant aux produits en poudre, seuls les isolats ayant subi une extraction à l'eau conservent leurs isoflavones. Par ailleurs, il importe de choisir un isolat de protéines non génétiquement modifié; mais selon le Department of Agriculture des États-Unis, plus de 57% des produits de soja actuellement dans le marché sont fabriqués à partir de soja génétiquement modifié. À moins que l'étiquette n'en fasse précisément mention, le produit est probablement tiré d'une source transformée génétiquement. N'oubliez pas de lire les étiquettes!

D'autres avantages des isolats de protéines

Grâce à leurs propriétés uniques, le lactosérum et le soja vous aideront à obtenir la silhouette que vous avez toujours voulu avoir. Vous pouvez prendre l'un ou l'autre de ces produits ou les combiner pour en retirer le plus de bénéfices possible (l'annexe II fait mention d'une formule combinée de ces deux produits). Un des avantages de consommer un isolat de protéines de lactosérum ou de soja est qu'on obtient de ces produits la quantité exacte de protéines dont on a besoin sans ajout de lipides ou de glucides, un avantage certain dans tout programme où l'on cherche à perdre de la graisse. Voilà sans doute une excellente façon d'affiner votre stratégie alimentaire. Les bons types d'isolats de soja et de lactosérum vous offrent une police d'assurance efficace contre la dégradation des cellules de l'organisme (réactions cataboliques).

LES ACIDES GRAS ESSENTIELS (AGE)

Comme nous l'avons expliqué au chapitre 7, les graisses sont essentielles à la lipolyse. Toutefois, les mauvais types de gras nuisent au fonctionnement des cellules et les rendent de pauvres agents lipolytiques. Nous devons donc fournir à notre organisme des acides gras qu'il ne peut synthétiser lui-même : les acides gras essentiels. Ceux-ci, dans la mesure où l'on en prend une quantité adéquate, gardent les cellules en santé et les aident à brûler plus de graisse. Ces acides gras essentiels sont les oméga-6 et oméga-3, que l'on trouve dans un régime équilibré ou que l'on peut prendre sous forme de suppléments.

On trouve l'acide gras oméga-6 (l'acide linoléique) dans les huiles polyinsaturées de carthame, de tournesol, de graines de coton et de maïs; des aliments comme les noix, le germe de blé et les fèves de soja en contiennent aussi de grandes quantités. Parmi les quelque 50 nutriments essentiels, l'oméga-6 est celui dont les besoins quotidiens sont les plus élevés, soit autour de 3 % à 6 % des calories (15 ml ou 1 c. à table). Une enzyme transforme l'oméga-6 en acide gamma-linoléique, un autre acide gras que l'on trouve dans les huiles d'onagre, de bourrache et de cassis. D'après certaines études, l'huile d'onagre ou l'huile de bourrache, en raison de leur contenu en acide gras gamma-linoléique, assurerait à notre organisme des quantités suffisantes de cet important acide gras. Comme on l'a expliqué au chapitre 7, on trouve l'acide arachidonique, un cousin de l'oméga-6, dans les viandes, les œufs et les produits laitiers. Toutefois, une trop grande quantité d'acide arachidonique peut avoir des effets inflammatoires; si vous souffrez d'une forme d'arthrite, vous devriez réduire votre consommation d'aliments riches en acide arachidonique.

Quant à l'acide gras oméga-3 (acide alpha-linoléique), on en trouve en grandes quantités dans l'huile et la farine de lin et en petites quantités dans l'huile de canola et de chanvre. L'oméga-3, comme l'oméga-6, peut être transformé en acides gras analogues et ayant des effets bénéfiques comme l'acide eicosapentanoïque et l'acide docasahexanoïque. Des recherches ont démontré que les acides gras essentiels améliorent les fonctions cérébrales (l'acide docasahexanoïque est un acide gras essentiel à la croissance et au développement fonctionnel du cerveau chez les nourrissons). L'oméga-3 peut aussi nous aider à perdre de la graisse. Un des acides gras essentiels (l'acide eicosapentanoïque) abaisse la concentration de triglycérides dans le sang en favorisant le transport des acides gras dans les cellules de façon à permettre la lipolyse (thermogenèse).

On peut aussi trouver l'oméga-3 en grandes quantités dans les poissons d'eaux froides comme la morue, le flétan du Pacifique, la sole, le menhaden, le maquereau, le bar d'Amérique, le saumon et le thon (les poissons élevés en pisciculture, comme le saumon, ne contiennent pas suffisamment d'oméga-3 puisque leur régime en est, semble-t-il, exempt).

Comme les huiles de poisson sont très réactives, il faut les conserver dans un endroit sombre et à l'abri de la chaleur. Les besoins quotidiens en acides gras essentiels s'élèvent à quelques grammes; ce sont des substances très périssables qui se détériorent rapidement en présence de l'air, de la lumière, de la chaleur et des métaux.

Si vous décidez d'ajouter à votre régime alimentaire des suppléments d'acides gras essentiels, je vous recommande d'incorporer à votre boisson protéique énergisante quotidienne 15 ml (1 c. à table) d'huile de lin pressée à froid et 5 ml (1 c. à table) d'huile de bourrache biologique pressée à froid. Prenez aussi à chaque repas une capsule d'huile de poisson d'eaux froides (de Norvège ou de l'Atlantique Nord) distillée par technologie moléculaire (c'est-à-dire non contaminée par les BPC et le mercure).

LES CONCENTRÉS D'ALIMENTS VERTS

Les chercheurs en nutrition nous recommandent depuis toujours de manger des fruits et des légumes. Les fruits et les légumes contiennent des phytonutriments (produits chimiques d'origine végétale) capables d'exercer des effets puissants et positifs sur notre organisme. Même des aliments tout simples comme les fèves de soja, les tomates et les bleuets sont des miracles de complexité. On estime que les végétaux contiennent de 30 000 à 50 000 phytonutriments bioénergétiques; jusqu'à maintenant, seulement 1 000 de ces composés végétaux aptes à prévenir les maladies ont été isolés et, parmi ceux-ci, seulement une centaine ont été analysés et testés.

En consommant des aliments d'origine végétale, nous puisons notre énergie dans des aliments vivants. Quant aux aliments d'origine animale, ils nous fournissent indirectement l'énergie provenant des produits d'origine végétale puisque les animaux transforment les nutriments que contiennent les végétaux; les tissus, les cellules, les atomes et les particules subatomiques de l'organisme convertissent ensuite les nutriments provenant des aliments d'origine animale. Les aliments complets bioénergétiques nous fournissent de l'énergie et nous permettent de conserver un équilibre sain (capacité anabolisante) en prévenant le développement de maladies dégénératives.

Les produits végétaux croissent au soleil et sont gorgés de l'énergie du sol et de l'eau; ils augmentent le niveau d'énergie et la motivation, améliorent l'humeur et aident à réduire l'appétit. Ils accélèrent le métabolisme et stimulent la dégradation de la graisse en ravivant notre capacité énergétique anabolisante.

Il faudrait consommer de 6 à 10 portions de fruits et légumes biologiques quotidiennement afin de profiter de tous les nutriments qu'ils peuvent offrir. En réalité, toutefois, la plupart d'entre nous ne respectent pas cette recommandation. C'est pourquoi nous vous suggérons fortement d'inclure des concentrés d'aliments verts en poudre dans votre programme de *La guerre au gras*. Tout ce que vous aurez à faire, ce sera de les boire.

Recherchez absolument les concentrés d'aliments verts de la meilleure qualité possible: ils devront contenir un mélange de légumes biologiques et d'herbes aux propriétés synergiques. Mélangez simplement la poudre dans un récipient (habituellement fourni avec le produit) et consommez la préparation entre les repas ou avec une boisson protéique énergisante; certains des concentrés offerts sur le marché sont déjà combinés avec des isolats de protéines (voir l'annexe II).

LES ANTIOXYDANTS

Les antioxydants jouent un rôle dans la lipolyse. Sans eux, vos chances d'éliminer la graisse sont grandement réduites.

L'oxygène est essentiel à la vie, mais il peut aussi avoir des effets dommageables sur les cellules. L'organisme produit des antioxydants et bon nombre d'aliments en contiennent aussi. Ces substances permettent aux cellules de fonctionner adéquatement en les protégeant contre les radicaux libres, des molécules instables qui peuvent attaquer la structure des cellules et mener à leur destruction. Les processus cellulaires comme la production d'énergie, ainsi que la fumée de cigarettes, certains polluants, les rayonnements solaires et même les activités aérobiques, activent l'élaboration de radicaux libres. Quelque 95 % de la production de radicaux libres s'effectue dans le centre énergétique des cellules musculaires, les mitochondries (qui constituent le site de la lipolyse); il est donc crucial de protéger ces centres énergétiques d'une destruction excessive.

Jusqu'à maintenant, les scientifiques ont répertorié 1 100 variétés de radicaux libres. Des recherches récentes ont confirmé que divers antioxydants agissent les uns avec les autres pour mettre un frein à la destruction cellulaire déclenchée par les radicaux libres. Comme les radicaux libres s'allient pour nous attaquer de toutes parts, les antioxydants doivent aussi travailler en synergie pour bloquer ces assauts.

Il existe probablement des centaines d'antioxydants, mais des recherches ont démontré que les plus efficaces (comme famille) sont les vitamines C et E, l'acide lipoïque (acide thiotique), le glutathion et la coenzyme Q10 (CoQ10). Le Dr Lester Packer et son groupe de chercheurs de l'Université de Californie à Berkeley les appellent le «réseau d'antioxydants». Ce réseau travaille en équipe. Une combinaison judicieuse de ces antioxydants et d'autres ne faisant pas partie de ce réseau contribue à la santé globale des cellules et stimule la lipolyse.

La vitamine C: La vitamine C est une vitamine hydrosoluble aux effets puissants, qui protège la portion aqueuse à l'intérieur des cellules. Comme elle fait partie de la famille des nutriments hydrosolubles, tout surplus est éliminé dans l'urine. La diarrhée et les crampes, qui sont souvent temporaires et ne constituent certes pas un grand risque pour la santé, sont les seuls effets négatifs d'une trop grande consommation de vitamine C.

Le chercheur qui a mis la vitamine C au premier rang des antioxydants est feu le Dr Linus Pauling, dont le travail a été corroboré par de nouvelles recherches démontrant les effets bénéfiques de ce membre de l'équipe des antioxydants. Les études effectuées indiquent que la vitamine C aide à prévenir le cancer, à diminuer les risques de maladies cardiovasculaires et à accroître la production de collagène. En outre, les personnes souffrant d'embonpoint, d'obésité ou de diabète de type II doivent consommer plus de vitamine C que les autres parce qu'elles l'éliminent plus rapidement. Il n'est pas nécessaire de prendre de grandes quantités de vitamine C pour bénéficier de ses effets positifs. D'après des recherches récentes, la moitié d'une dose d'environ 200 mg est excrétée telle quelle dans l'urine, alors que 90 % d'une dose de 2 g est éliminée. Comme l'organisme semble atteindre un certain point de saturation, il paraît logique de prendre de petites doses de vitamines C à intervalles rapprochés. Je vous suggère donc des doses de 200 mg à 500 mg de vitamine C à prendre deux ou trois fois par jour.

Le complexe vitaminique B ne fait pas partie de la famille des antioxydants, mais je vous recommande d'en prendre chaque jour un supplément de qualité, car ce complexe multivitaminique participe au métabolisme des protéines, des glucides et des lipides.

● ●

COMMENT PRENDRE VOS ANTIOXYDANTS

Les antioxydants sont des nutriments (comme les vitamines et les minéraux) et les nutriments sont mieux absorbés en présence d'aliments. Prenez toujours vos antioxydants avec les aliments appropriés. Par exemple, vous devriez consommer les nutriments liposolubles comme la vitamine E, la CoQ10 ou la famille des caroténoïdes (la bêta-carotène, le lycopène) avec des aliments contenant des acides gras comme l'oméga-6 et l'oméga-3. Vous pouvez prendre tous vos antioxydants en même temps.

La vitamine E : La vitamine E, un antioxydant extraordinaire, protège l'organisme contre le vieillissement et les dommages causés par le soleil, fortifie le système immunitaire, diminue les symptômes de l'arthrite et renforce les parois cellulaires. La vitamine E est liposoluble : elle peut agir là où les antioxydants hydrosolubles ne peuvent aller. Vous pouvez aussi en ingérer de grandes quantités, puisqu'elle n'est pas éliminée aussi rapidement que les vitamines hydrosolubles. Cependant, des doses excessives de vitamine E (plus de 1600 ui) peuvent être toxiques. La vitamine E exerce son action sur les structures liposolubles, soit la paroi cellulaire ainsi que les acides gras du sang et des cellules, dont le cholestérol LDL et les triglycérides.

La vitamine E brise la chaîne des radicaux libres qui s'attaquent aux lipides ; elle prévient donc la propagation des radicaux libres capables de détruire les lipides et les protéines. Des recherches ont démontré qu'il faut un minimum de 400 ui de vitamine E quotidiennement pour empêcher l'oxydation du cholestérol LDL. En outre, il a été démontré que la vitamine E freine les réactions des radicaux libres pouvant accroître les risques de cancers, de maladies coronariennes, de problèmes de la vue et du stress oxydatif dû à l'exercice. Comme il est question d'éliminer le surplus de graisse de l'organisme, mentionnons que nous devons nous protéger contre une peroxydation excessive des lipides (l'oxydation des acides gras) ; pour ce faire, la vitamine E constitue la meilleure protection qui soit. Elle travaille aussi de concert avec le prochain antioxydant dont nous allons parler, l'acide lipoïque.

Si vous avez moins de 40 ans, prenez chaque jour une ou deux capsules de 400 ui de vitamine E à base huileuse (mélange concentré de tocophérols) avec des aliments contenant des lipides. Si vous avez plus de 40 ans, prenez une ou deux capsules de 400 ui de vitamine E à base sèche (mélange concentré de tocophérols) avec des aliments contenant des lipides.

L'acide lipoïque : L'acide lipoïque est un des antioxydants les plus étonnants que l'on ait découverts. Il offre une excellente protection contre les maladies coronariennes, les accidents cérébrovasculaires, la perte de mémoire et les cataractes. Il aide aussi à stabiliser la glycémie et à réduire les complexes protéines-glucides du sang qui sont les produits finaux de la glycocylation avancée. Ces derniers accélèrent le processus de vieillissement chez les diabétiques, qui ont tendance à en produire de grandes quantités. Quel problème provoquent ces produits ? Ils forment des radicaux libres qui détruisent les cellules, les nerfs et le tissu conjonctif. C'est principalement pour cette raison que les risques de souffrir d'insuffisance rénale, de cécité ou de problèmes circulatoires sont élevés chez les diabétiques.

L'acide lipoïque protège aussi les structures génétiques : il empêche la formation de lésions et l'induction de mutations dans l'ADN et prévient certaines lésions dans les mitochondries intracellulaires. Rappelez-vous que les mitochondries constituent le centre névralgique de la lipolyse. Si elles subissent trop de lésions provoquées par les radicaux libres, vous pouvez dire adieu à votre programme de perte de graisse. L'acide lipoïque est un membre de l'équipe des antioxydants. Comme il est à la fois liposoluble et hydrosoluble, il peut agir partout. Il peut même se régénérer lui-même et recycler d'autres antioxydants comme les vitamines C et E et la CoQ10.

La présence d'acide lipoïque est cruciale à une production d'énergie optimale puisque cette substance favorise la conversion du sucre (glucose) en énergie utilisable pour la resynthèse de l'ATP et qu'elle permet aux cellules lipolytiques d'alimenter le brûleur. Lorsque l'acide lipoïque agit sur les radicaux libres, il se transforme lui-même en radical libre faible ; mais ne vous inquiétez pas : il se régénère. C'est le seul antioxydant à avoir cette capacité. Vous devriez ingérer 100 mg ou plus d'acide lipoïque par jour. D'après les toutes dernières recherches, il faudrait prendre l'acide lipoïque à divers moments de la journée, car il ne peut rester toute une journée dans l'organisme. Il est recommandé de commencer avec une dose de 50 mg deux fois par jour. Si vous suivez un programme d'exercices intensif, si vous fumez (j'espère que vous mettrez fin à cette habitude pour la remplacer par de l'exercice) ou si vous êtes exposé à divers polluants (c.-à-d. si vous vivez dans une grande ville), vous devriez augmenter votre consommation d'acide lipoïque à 100 mg ou 150 mg deux fois par jour. Les cellules musculaires et leur armée de guerriers antigraisse vous en seront reconnaissantes. Prenez de 50 mg à 100 mg d'acide lipoïque (aussi connu sous le nom d'acide alpha-lipoïque) deux ou trois fois par jour, idéalement environ une demi-heure avant ou après les repas.

● ●

LE GLUTATHION

Le glutathion est l'antioxydant le plus important et le plus abondant que produit l'organisme. Malgré tout, pour fabriquer cet antioxydant en quantités suffisantes, l'organisme a besoin de précurseurs de glutathion. Le glutathion élimine les toxines et neutralise les radicaux libres présents dans la circulation sanguine et les cellules. Non seulement il renforce le système immunitaire, mais des recherches ont démontré qu'il joue un rôle essentiel dans l'amélioration de la fonction hépatique, la prévention du cancer, l'augmentation de la longévité, la guérison de la bronchite et du psoriasis, la production d'énergie et la prévention des maladies en général.

Le glutathion est un tripeptide (un peptide est une protéine formée d'un nombre restreint d'acides aminés) constitué de trois acides aminés, soit la cystéine, la glycine et l'acide glutamique. La cystéine est le plus important de ces acides aminés, car elle contient la molécule de soufre nécessaire à la synthèse du glutathion. Il est inutile de prendre des comprimés de glutathion pur puisqu'il est prouvé qu'il se décompose au cours de la digestion, mais c'est tout de même un antioxydant important. La meilleure façon d'augmenter la concentration de glutathion dans l'organisme consiste à ingérer de l'acide lipoïque et des isolats de protéines de lactosérum à teneur élevée en protéines alpha (voir le produit AlphaPure^MD à l'annexe II). Les protéines de lactosérum à teneur élevée en protéines alpha peuvent contenir jusqu'à 2,5 fois plus de cystéine que les autres isolats de protéines de lactosérum; elles constituent donc une excellente source, encore inégalée, pour la formation de glutathion naturel.

La coenzyme Q10 : Une enzyme est une protéine qui provoque des réactions chimiques précises; une coenzyme agit de concert avec une enzyme pour produire une réaction. La CoQ10 est la coenzyme qui aide à produire l'énergie nécessaire au bon fonctionnement des cellules. On la trouve en grandes quantités dans les mitochondries, où elle sert à la synthèse de l'ATP et où elle agit comme antioxydant liposoluble.

Tout comme la vitamine E, la CoQ10 joue un rôle de défense contre les radicaux libres en s'associant aux lipoprotéines présentes dans la circulation sanguine et en protégeant ainsi les acides gras d'une attaque des radicaux libres. Puisque l'énergie revêt une importance capitale dans le fonctionnement des cellules musculaires, surtout en ce qui concerne la prévention des maladies et la dégradation de la graisse, vous voudrez prendre des suppléments de CoQ10 de façon à protéger vos mitochondries et à faire fonctionner vos cellules rondement. N'oubliez pas qu'une cellule en santé est une cellule qui brûle de la graisse.

La CoQ10 est vendue sous la forme de poudre ou de gelée. Il semble que la gelée soit mieux absorbée et qu'elle élève la concentration sanguine de CoQ10. Cette coenzyme peut coûter cher, mais vous ne vous ruinerez pas si vous vous limitez à de petites doses. Prenez de 30 mg à 60 mg de CoQ10 à base huileuse avec des aliments qui contiennent des lipides.

Pour obtenir de meilleurs résultats et par souci de commodité, cherchez des préparations d'antioxydants qui renferment toute la famille des antioxydants travaillant en réseau (voir l'annexe II).

Les antioxydants de soutien

Les pages précédentes ont porté sur les principaux antioxydants, mais il en existe d'autres qui ont aussi une grande valeur, dont le sélénium, le zinc, le manganèse et les composés d'origine végétale qu'on appelle flavonoïdes. Ceux-ci sont particulièrement importants puisqu'ils peuvent accroître l'efficacité de la vitamine C, du glutathion et des autres antioxydants dont j'ai déjà parlé. Les flavonoïdes peuvent améliorer la santé des vaisseaux sanguins, favoriser la circulation sanguine et le transport des principaux nutriments, traiter l'impuissance, renforcer le système immunitaire, réduire l'inflammation, accroître la mémoire et stimuler l'apprentissage.

Les flavonoïdes: Les baies comme la myrtille, le bleuet et la mûre sauvage contiennent toutes de précieux flavonoïdes, tout comme le curcuma, une épice qui renferme un puissant antioxydant connu sous le nom de curcumine. Il existe dans les plantes des centaines de flavonoïdes différents, dont certains ont été bien étudiés, puis commercialisés. Parmi les sources concentrées de flavonoïdes, on compte les extraits de Ginkgo biloba, de pépins de raisin, de myrtille, de curcumine et d'écorce de pin; tous ces produits sont habituellement offerts dans les magasins de produits diététiques ou d'aliments naturels et les pharmacies. Certains extraits de plantes peuvent coûter plus cher que d'autres.

- Le Ginkgo biloba est surtout connu pour ses capacités à améliorer la mémoire, mais il agit aussi comme réducteur de cortisol. Une étude récente a montré que le Ginkgo biloba inhibe très efficacement la production de cortisol. Rappelez-vous qu'une diminution de la concentration de cortisol entraîne une augmentation de tissu musculaire et une perte de tissu adipeux. Une dose d'au moins 30 mg deux fois par jour serait adéquate.
- Les formules d'extraits de raisin de qualité doivent contenir du resvératrol et de l'acide ellagique. Des doses de 60 mg prises deux ou trois fois par jour avec les repas auraient des effets bénéfiques.
- Le chardon-Marie, grâce à son principal ingrédient, la silymarine, est un des nutriments pouvant le plus efficacement régénérer la fonction hépatique. Quel est le rôle du foie dans la lipolyse? Le foie est le site principal du métabolisme dans l'organisme, et c'est dans les cellules hépatiques que s'effectue le métabolisme des glucides, des lipides et des protéines. Une cellule hépatique saine peut dégrader la graisse avec une grande efficacité, alimentant le brûleur et éliminant les acides gras en excès. Les flavonoïdes du chardon-Marie, de puissants antioxydants, protègent aussi les cellules hépatiques des radicaux libres. Par ailleurs, ils ont des effets anticarcinogéniques, ils accroissent la sensibilité à l'insuline (ils diminuent les besoins en insuline) et réduisent la concentration excessive de cortisol. En général, les extraits de chardon-Marie normalisés contiennent au moins 75% de silymarine. En présence d'une proportion de ce genre, une dose de 50 mg à 100 mg deux ou trois fois par jour stimulera réellement l'activité des cellules hépatiques et mènera votre armée de combattants à la victoire contre le gras.

LE CHROME

Comme nous l'avons déjà mentionné, l'hyperglycémie entraîne une augmentation de la sécrétion d'insuline (pic d'insuline) et mène à un dérèglement cellulaire ainsi qu'à l'obésité. Plus de 90% des Nord-Américains souffrent d'une déficience en chrome. Une faible ingestion de chrome, associée à une hyperglycémie consécutive à une consommation élevée de sucreries, de pain et d'aliments raffinés, entraîne un accroissement stupéfiant de cas de diabète de type II, d'embonpoint et d'obésité. En général, les sols contiennent peu de chrome. Par conséquent, les aliments d'origine végétale que nous consommons renferment aussi très peu de chrome. Il faut donc prendre des suppléments de chrome pour en accroître la concentration dans les cellules.

L'organisme des personnes qui ont de l'embonpoint oppose une résistance à l'insuline. Nos cellules ne laissent tout simplement plus pénétrer le glucose aussi bien qu'auparavant. Il en résulte un pic d'insuline pro-acides gras qui maintient les livres de graisse en place malgré un régime strict et un programme d'exercices vigoureux. Le chrome joue un rôle essentiel dans la diminution de la résistance des cellules à l'insuline. Il aide les cellules à mieux fonctionner en y laissant pénétrer le glucose et les acides aminés en provenance du sang et en réduisant la concentration d'insuline dans le sang.

L'organisme a habituellement beaucoup de difficulté à absorber efficacement le chrome ; toutefois, d'après des études poussées, deux des composés les plus populaires du chrome, le polynicotinate de chrome (chrome lié à la niacine) et le picolinate de chrome, devraient être assez bien absorbés. Dans une étude récente où ces deux composés ont été comparés, le chrome lié à la niacine a remporté la palme (l'ingestion de chrome était conjuguée à un programme d'exercices). La dose recommandée est de 200 ug (microgrammes) à 400 ug de chrome élémentaire par jour.

LE *CITRUS AURANTIUM*

Le *Citrus aurantium* est un stimulant naturel dérivé des huiles essentielles de l'orange de Séville (ou orange amère). Ce végétal est utilisé depuis des milliers d'années pour améliorer la circulation sanguine et la fonction hépatique ainsi que pour traiter les indigestions.

Lorsque la vitesse du métabolisme au repos est accrue, l'organisme brûle plus de calories provenant des lipides. Cet effet est dû à un groupe de composés présents dans ce végétal, les amines adrénergiques (des composés organiques capables de libérer de l'adrénaline ou de la noradrénaline, ou d'agir de la même façon que ces hormones), dont le plus efficace pour la dégradation de la graisse est la synéphrine. Les extraits normalisés actuellement en vente contiennent de 4 % à 6 % de synéphrine. En plus de renfermer des flavonoïdes, le *Citrus aurantium* a des effets énergisants et lipolytiques sur l'organisme: il active un groupe précis de récepteurs cellulaires connus sous le nom de récepteurs bêta-3. Ces récepteurs stimulent la libération de la graisse provenant des cellules adipeuses et musculaires (lipolyse) et la vitesse du métabolisme au repos (thermogenèse). Nous pouvons même sentir cet extrait agir puisque notre organisme dégage alors de la chaleur.

Le *Citrus aurantium*, au contraire de l'éphédrine, un stimulant populaire qui a des effets lipolytiques, n'accroît pas la fréquence du pouls ni la tension artérielle. La dose recommandée de *Citrus aurantium* normalisé contenant 6 % de synéphrine est de 325 mg par jour, prise environ une demi-heure avant chaque repas ou avant de boire une boisson protéique énergisante.

L'ACIDE HYDROXYCITRIQUE

La gomme cambodge, un fruit originaire de l'Inde, contient de l'acide hydroxycitrique (AHC), un important composé chimique ayant pour effet de stimuler la lipolyse. Des recherches ont démontré que l'AHC pouvait empêcher les glucides de se convertir en lipides, mais une autre fonction importante de cet incroyable nutriment est sa capacité de favoriser la sécrétion d'une enzyme lipolytique spéciale: la carnitine palmitoyl transférase (CPT). L'ATP-citrate lyase est l'enzyme qui convertit les surplus de glucose en acides gras. L'AHC empêche cette enzyme de fabriquer des acides gras et, en cours de route, il ralentit aussi l'action d'une autre enzyme, le malonyl CoA, et il s'ensuit une augmentation de la concentration de CPT (l'enzyme lipolytique).

L'AHC a aussi l'avantage d'inhiber la sécrétion d'insuline – que la présence de glucose stimule – , ce qui permet de contenir cette hormone qui a pour fonction de stocker la graisse. L'AHC a été mis sur le marché il y a quelques années déjà, mais il donne des résultats mitigés. Auparavant, l'AHC était lié à un sel de calcium, qui pouvait être mal absorbé par l'organisme. Récemment, on a mis sur le marché un nouveau sel d'AHC, qui est combiné à du magnésium (Mg). En ajoutant de l'AHC-Mg à votre liste de suppléments, vous ferez grandement augmenter la concentration de CPT dans votre organisme, ce qui aura pour effet d'accroître la lipolyse. Je vous propose d'ajouter à votre armée de lutte contre le gras une dose quotidienne de 500 mg à 2 g de AHC-Mg (Citrimax) dérivé de la gomme cambodge, que vous prendrez en deux fois au cours de la journée.

LA FORSKOLINE

La forskoline est une substance isolée des racines de *Coleus forskohlii*; elle accroît la concentration d'adénosine monophosphate cyclique (AMPc), un régulateur crucial des enzymes lipolytiques et un messager qui réagit à différentes hormones de façon à guider certains changements métaboliques intracellulaires. L'AMPc est indispensable à l'accélération de la lipolyse. Une fois formée dans les cellules, l'AMPc stimule d'autres enzymes qui en activent d'autres encore (réactions en chaîne); ainsi, l'AMP amorce une cascade de réactions. Une concentration élevée de glucagon stimule la formation d'AMPc, alors qu'une concentration élevée d'insuline l'inhibe. Par ailleurs, l'AMPc stimule la libération des catécholamines (l'adrénaline et la noradrénaline) et du glucagon, des hormones pouvant accélérer la lipolyse et divers autres processus métaboliques.

Prenez une dose de 100 mg de *Coleus Forskohlii* normalisé contenant 10% de forskoline (soit 10 mg de forskoline) deux fois par jour.

L'EXTRAIT DE THÉ VERT

Le thé vert a des effets bénéfiques sur l'organisme et l'esprit; il peut aussi intensifier la perte de tissu adipeux. Le thé est riche en catéchines, une sorte de flavonoïdes très bien absorbées comparativement aux autres flavonoïdes. Les catéchines sont des antioxydants puissants qui peuvent inhiber le développement de certaines formes de cancer, accroître le débit sanguin et réduire l'oxydation du cholestérol LDL.

En outre, des recherches récentes ont démontré que les catéchines du thé vert stimulaient la thermogenèse. L'extrait de thé vert pourrait ainsi aider les personnes au régime à perdre de la graisse, selon les résultats d'une étude publiée dans le numéro de décembre du *American Journal of Clinical Nutrition*. Cette étude est la première à examiner l'influence du thé sur la dépense d'énergie et la composition de l'organisme. Le thé vert pourrait être particulièrement bénéfique pour les patients qui sont atteints de maladies coronariennes et qui essaient de perdre du poids parce que, contrairement aux anorexigènes, il n'a aucun effet sur la fréquence cardiaque. Les composés polyphénoliques des catéchines agissent de concert avec d'autres produits chimiques pour accroître l'oxydation des acides gras et la thermogenèse, ce qui favorise la dégradation des lipides.

Si les effets lipolytiques du thé vert ne vous emballent pas, voici d'autres avantages que vous pouvez trouver à consommer cet extrait: celui-ci peut diminuer la concentration de glucose sérique en inhibant l'activité de l'amylase, une enzyme qui sert à la digestion de l'amidon; ainsi, l'amidon serait absorbé plus lentement et la concentration d'insuline serait aussi abaissée. Il a été démontré également que le thé vert peut réduire l'absorption des lipides par l'intestin. La diphénylamine, un autre composé du thé vert, agirait aussi fortement sur la baisse de la concentration de glucose. De nouvelles recherches indiquent que les catéchines du thé vert entraînent une réaction vasodilatatrice très forte, favorisant ainsi un accroissement du débit sanguin. Une augmentation de la circulation périphérique permet une plus grande oxygénation et par conséquent une plus grande production d'énergie. En outre, le thé vert peut augmenter la concentration de sérotonine ou de dopamine dans le cerveau, deux amines qui agissent sur l'appétit et la satiété. Pourquoi ne pas tout simplement boire du thé vert? Parce que les extraits de thé vert normalisés possèdent plus de composés actifs que les infusions de thé. Je vous recommande de prendre de 300 mg à 400 mg d'extrait de thé vert chaque jour; l'extrait doit contenir plus de 50 % de catéchines, dont la principale doit être la EGCG.

LA CARNITINE

Certains nutriments stimulent la combustion des lipides à l'intérieur des cellules en activant d'importantes enzymes requises dans le processus lipolytique. La carnitine est un acide aminé, mais elle agit un peu comme une vitamine. On ne peut toutefois la classer comme une vitamine puisque l'organisme la fabrique à partir de deux acides aminés, la lysine et la méthionine. Elle fait aussi partie de l'enzyme de transport des acides gras, la carnitine palmitoyl transférase (CPT), qui sert à mobiliser les réserves de graisse afin de produire de l'énergie (une très bonne chose). La L-carnitine est une substance naturelle essentielle à l'oxydation des acides gras dans les mitochondries. Elle régularise le métabolisme énergétique des cellules. La carnitine est un cofacteur qui aide à transformer les acides gras à longue chaîne et à les transporter ensuite vers les mitochondries où ils servent de combustible. Il pourrait être bénéfique de prendre des suppléments de carnitine si vous souffrez d'anorexie, de fatigue chronique, de maladies cardiovasculaires, de diabète, d'infertilité (chez l'homme), de myopathies musculaires et d'obésité. La L-carnitine régularise la concentration de coenzyme A (CoA) dans les mitochondries de façon à assurer le fonctionnement optimal du métabolisme énergétique.

Après avoir été lentement absorbée par l'intestin (la proportion absorbée dépend de la quantité ingérée), la carnitine passe dans le sang. Des études démontrent que seulement 16 % d'une dose de 2 g prise par voie orale est absorbée et que des doses plus élevées n'accroissent pas la quantité absorbée. Cela signifie que l'organisme ne peut utiliser qu'une certaine quantité de L-carnitine à la fois. Deux doses de 1,5 g de carnitine par jour peuvent augmenter la carnitine libre de 20 % et l'acétyl-L-carnitine de 80 %. Chez la femme, le lait maternel et le colostrum (la substance sécrétée par les glandes mammaires après l'accouchement) contiennent une concentration élevée de carnitine. Une manière intéressante d'augmenter la concentration de carnitine consisterait à prendre des suppléments de colostrom bovin.

On reconnaît qu'une concentration élevée de glucose sanguin bloque l'utilisation des acides gras comme source énergétique. La plupart des personnes obèses ou souffrant d'embonpoint peuvent utiliser les acides gras comme combustible, mais ces acides gras ne réussissent pas à atteindre les mitochondries où ils devraient être dégradés. Ainsi, les acides gras sont retransformés en triglycérides ou stockés sous la forme de tissu adipeux.

Pour perdre de la graisse de façon permanente, il importe d'accroître la concentration et l'activité de la CPT. Un programme d'exercices adéquat peut doubler l'activité de la CPT et en faire un catalyseur très efficace dans le processus lipolytique. Voilà une autre bonne raison de s'entraîner régulièrement. Il importe aussi de réduire la concentration d'insuline et d'augmenter celle du glucagon en limitant la consommation de glucides à index glycémique élevé et en augmentant la consommation de protéines de haute valeur biologique. Si vous décidez d'ajouter la carnitine à votre armée de suppléments pouvant faire la guerre au gras, vous devrez ingérer au moins 500 mg d'acétyl-L-carnitine ou 1 g de L-carnitine deux fois par jour, préférablement à jeun.

Tous les suppléments mentionnés dans ce chapitre vous aideront à gagner votre guerre contre le gras; toutefois, des changements de base en ce qui concerne votre alimentation et vos activités s'imposent. Je vous recommande de prendre ces suppléments. Cependant, que vous décidiez de les inclure ou non à votre programme, c'est la combinaison des changements qui compte.

CHAPITRE 13

L'exercice

Comme je l'ai déjà mentionné, notre organisme s'est développé il y a des milliers d'années. À cette époque, les humains devaient marcher, courir et grimper pour se déplacer et se procurer ce dont ils avaient besoin. Tout comme les animaux avec qui ils partageaient leur milieu de vie, ils devaient se battre pour obtenir leur nourriture. Les choses ont bien changé depuis. Nous prenons la voiture pour nous rendre au travail, nous restons assis à un bureau durant des heures, puis nous passons la soirée devant la télé. Comme la vie est dure! Oui, la vie peut être exigeante sur le plan intellectuel mais sûrement pas sur le plan physique. De nos jours, il faut s'astreindre à faire de l'exercice.

Le métabolisme est conçu de façon que l'organisme puisse faire face à de grandes dépenses d'énergie. Celui-ci économise le combustible (la graisse) pour les jours difficiles, de plus en plus rares. En réalité, moins de 30 % des Nord-Américains s'adonnent à des activités physiques et 25 % n'en font aucune; voilà pourquoi nous engraissons sans cesse. Sans exercices adéquats pour brûler la graisse, jamais nous ne pourrons gagner la guerre contre le gras.

Nous voulons tous être en santé et en bonne forme physique, mais beaucoup d'entre nous n'ont pas appris à intégrer des activités physiques dans leur horaire quotidien. Nous connaissons tous des personnes qui s'entraînent assidûment, plus de cinq fois par semaine même, et ce, semaine après semaine. Ces personnes semblent différentes de nous. Elles considèrent l'exercice non comme une corvée, mais comme une activité amusante et stimulante. Quant à nous, c'est une autre histoire. Nous sommes pleins de bonnes intentions. Au début de l'année, nous nous ruons dans les centres de conditionnement physique pour les remplir à capacité les lundis soir. Mais dès qu'avril se pointe, les vieilles habitudes ont repris le dessus. L'abonnement est de l'argent perdu, la poussière s'accumule sur l'appareil d'exercice dont nous avions fait l'acquisition, et la vidéocassette d'aérobie se trouve camouflée entre *Quand Harry rencontre Sally* et *Terminator*.

Pour éliminer le plus de graisse possible sans la reprendre, il faut savoir quelles activités sont efficaces. Cependant, la majorité des exercices conçus depuis les 20 dernières années ne servent aucunement à faire fondre la graisse de façon permanente.

LE MYTHE DE L'AÉROBIE

Carmen vient d'avoir 30 ans. Mère de trois jeunes enfants, elle se sent prête à s'attaquer à son prochain objectif: perdre la graisse qui s'est lentement accumulée autour de sa taille, de ses hanches, de ses fesses et de ses cuisses depuis 10 ans.

Carmen a déjà fait de l'exercice. Elle s'est inscrite à divers cours donnés au centre communautaire du quartier. Elle a même commandé de la chaîne des infomerciaux quelques produits prétendument «miraculeux». Mais les miracles se produisent rarement... Carmen s'est ensuite mise à la marche, sans que son poids change. Elle s'est même procuré un appareil pour faire des abdominaux et une cassette d'aérobie pour s'entraîner à la maison. Après trois mois à suer sur de la musique hip-hop, elle a plus d'énergie mais tout autant de graisse qu'avant. Qu'est-ce qui ne va pas et pourquoi tant de gens ont-ils le même problème? ■

L'aérobie est de loin la forme d'activité physique qu'on nous recommande le plus souvent lorsque nous voulons perdre du poids. Nous avons tous vu ces jolies filles en collants bouger au son de la musique et nous inviter à nous trémousser comme elles. Nous avons entendu les témoignages de gens à qui l'aérobie a permis de perdre du poids. En réalité, pour chaque personne qui réussit à perdre du poids de façon permanente en faisant de l'aérobie, 50 autres échouent. Un taux de succès bien faible.

Bien des gens ont déjà essayé l'aérobie. Beaucoup se sont déjà astreints à faire de la marche rapide, à passer de 30 à 45 minutes sur un tapis roulant ou un vélo stationnaire, à danser sur la musique d'une classe d'aérobie ou d'une vidéocassette ou même à suivre un cours ou deux de Tae-Bo^MC. Mais ces cours prennent du temps et la quantité de graisse éliminée est minime. Tout comme lorsqu'on suit un régime ou qu'on jeûne, le moteur de la combustion de la graisse, soit le tissu musculaire, se dégrade aussi, et la quantité de graisse qui fond d'une séance à l'autre est à peu près nulle. Les activités aérobiques intensives ne stimulent aucunement la formation de tissu musculaire : les athlètes comme les coureurs de 10 000 mètres ou les marathoniens ont une très faible masse musculaire. Bien sûr, les partisans de l'aérobie reconnaissent cet état de fait, et les centres de conditionnement physique incluent dorénavant dans leurs programmes d'aérobie certaines formes d'entraînement en résistance comme le «step» (où le corps offre la résistance) ou des exercices à l'aide de poids ou d'élastiques. Mais ces tentatives pour compenser les faiblesses de l'aérobie sont à tout le moins insuffisantes. L'aérobie ne constitue tout simplement pas la meilleure façon de brûler de la graisse.

PLUS DE MUSCLES, MOINS DE GRAISSE

Contrairement à l'aérobie, l'entraînement en résistance nous permet d'accroître notre masse musculaire et nous aide à gagner la guerre contre le gras. Nous devons aussi activer les muscles que nous avons déjà. Activer nos muscles? Oui, en effectuant le bon type d'exercices, nous pouvons amener nos muscles à attaquer et à dégrader plus efficacement la graisse de notre organisme.

Pourquoi les muscles sont-ils si importants? Comme je l'ai mentionné tout au long du livre, les muscles constituent le moteur de la combustion métabolique de l'organisme. Plus notre masse musculaire est grande, plus notre métabolisme s'accélère; plus nos muscles sont actifs, plus ils dégradent de graisse, et ce, jour et nuit.

La graisse qui s'accumule dans notre organisme est un poids mort, une substance inerte, qui ne fait qu'accaparer un certain volume (et ne nous donne pas vraiment fière allure). Et voici le point le plus important : une livre de muscles actifs brûle plus de 50 calories par jour. Donc, si nous réussissons à augmenter notre masse musculaire, ou du moins à la stabiliser, nous nous préparons à la victoire. Toutefois, en faisant trop d'exercices cardiovasculaires, nous perdons rapidement une partie de notre masse musculaire.

Dans une étude publiée par le prestigieux *American Journal of Cardiology*, on a comparé l'entraînement aérobie avec l'entraînement en résistance (avec des poids). Les participants ont été divisés en deux groupes devant suivre un programme d'exercices de 75 minutes durant 10 semaines. Les participants du premier groupe devaient effectuer 75 minutes d'aérobie deux fois par semaine, alors que ceux du second groupe devaient faire 40 minutes d'aérobie plus 35 minutes d'entraînement avec des poids. À la fin de l'étude, les participants du premier groupe avaient accru leur résistance de 11 % mais non leur force musculaire. Quant aux participants du second groupe, ils avaient vu leur endurance augmenter d'un extraordinaire 109 % et leur force générale de 21 % à 43 %. De nombreuses autres études prouvent aussi que l'entraînement en résistance combiné à des exercices cardiovasculaires à faible impact est plus efficace que l'une ou l'autre de ces méthodes isolément.

Le scénario habituel est le suivant: vous faites des exercices cardiovasculaires intensifs depuis des semaines, mais vous n'approchez nullement de votre objectif de perte de poids. En réalité, vous semblez même avoir gagné une livre la semaine dernière. Vous décidez de faire encore plus d'exercices cardiovasculaires pour éliminer la graisse superflue. Mauvaise décision! Plus vous ferez d'exercices cardiovasculaires, plus votre organisme aura tendance à utiliser du glucose et des protéines comme combustibles au lieu des lipides. Pour disposer de plus de glucose, l'organisme se mettra à dégrader les protéines que contiennent les cellules musculaires par un processus qu'on appelle la gluconéogenèse (la synthèse de glucose à partir de substances organiques non glucidiques). Il s'ensuit une perte musculaire ainsi qu'une diminution de la capacité de l'organisme à dégrader la graisse; le cercle vicieux se poursuit, et ce, à un rythme encore plus rapide que lorsque nous sommes au régime.

Les exercices doivent-ils être intensifs?

Afin de mieux connaître le type d'entraînement auquel nous devons nous adonner pour nous débarrasser de notre graisse de manière permanente, nous devons d'abord comprendre quel type de combustible utilise l'organisme pour effectuer une activité précise. Comme l'organisme dégrade le glucose et les protéines plus facilement que les lipides, il fait donc appel la plupart du temps au glucose et aux protéines et laisse les acides gras en paix. Pour fournir de l'énergie, les acides gras, qui forment les lipides, doivent être dégradés, et ce processus prend du temps. Par ailleurs, comme nous l'avons mentionné lorsque nous avons expliqué le fonctionnement du métabolisme, bien des types d'exercices ne nous permettent pas de passer en quatrième vitesse (celle qui nous fait brûler de la graisse). En outre, les soi-disant gourous de notre époque prétendent que, pour éliminer le plus de graisse possible, nous devons maintenir durant l'entraînement notre fréquence cardiaque à 70% de notre fréquence cardiaque maximale. Pour connaître votre fréquence cardiaque maximale, soustrayez votre âge de 220. Pour savoir à quel rythme vous entraîner, multipliez le résultat obtenu par 70%.

Exemple: Carmen a 33 ans. Elle doit donc maintenir sa fréquence cardiaque à: 220 – 33 x 70% = 131

Selon ces mêmes gourous, si nous pouvons maintenir notre fréquence cardiaque à 70% de notre fréquence cardiaque maximale, notre entraînement sera des plus efficaces et permettra à notre organisme d'atteindre son seuil anaérobique, soit celui où il dégraderait la plus grande quantité de graisse. Mais, quoi qu'en disent ces gourous, le seuil anaérobique n'est pas un indicateur de la lipolyse. Il sert plutôt à mesurer la capacité cardiorespiratoire. Maintenir cette fréquence cardiaque durant la séance d'exercices améliore l'endurance cardiaque et pulmonaire mais ne favorise aucunement l'élimination des réserves de graisse.

De toute façon, si vous n'avez pas fait d'exercices depuis longtemps ou n'avez pas l'habitude de vous entraîner à ce degré d'intensité, vous aurez de la difficulté à maintenir cette fréquence cardiaque. Votre organisme ne pourra tenir et vous vous sentirez essoufflé. Dès cet instant il passera à une autre vitesse et commencera à utiliser le glucose comme combustible principal. Si vous ne pouvez continuer à parler sans chercher votre souffle lorsque vous faites de l'exercice, cela signifie que votre organisme utilise du glucose et non des lipides comme combustible. Le halètement est signe que les tissus manquent d'oxygène. La dégradation des molécules de graisse nécessite une grande quantité d'oxygène. Si l'organisme n'en absorbe pas suffisamment, il passe en troisième vitesse (et utilise du glucose au lieu des lipides). C'est pourquoi les personnes qui s'adonnent jour après jour à des heures d'aérobie intensive ne semblent jamais pouvoir se débarrasser de leur graisse. Imaginez la perte de temps et d'énergie!

Le tissu adipeux est très dense et ne peut être utilisé comme combustible que s'il reçoit une grande quantité d'oxygène. Vous pensez sans doute: «Puisqu'il faut beaucoup d'oxygène pour dégrader les lipides, les cours d'aérobie qui nous mettent à bout de souffle doivent bien permettre à notre organisme d'aller chercher le surplus d'oxygène dont il a besoin?» Oui et non! Lorsque nous forçons la note, nous ne parvenons jamais à absorber suffisamment d'oxygène; c'est pourquoi nous cherchons notre souffle. À mesure qu'augmente l'intensité de l'activité, la quantité d'oxygène disponible diminue puisque nos inspirations deviennent saccadées et superficielles. Notre organisme n'a d'autre choix que de passer à une autre vitesse et d'utiliser de plus en plus de glucose comme combustible.

L'intensité optimale est celle qui permet à notre organisme d'absorber suffisamment d'oxygène pour dégrader les lipides et nous faire perdre de la graisse. Habituellement, elle est plus faible que le seuil anaérobique de 70% et se rapproche davantage de 50% à 60% de la fréquence cardiaque maximale. Voilà une bonne nouvelle pour tous ceux qui aiment prendre de longues marches, un excellent exercice pour éliminer la graisse.

Combien de temps doit durer une séance d'entraînement?

La durée de l'activité est tout aussi importante que son intensité. Nous pouvons réduire l'intensité quelque peu pour faire en sorte que les lipides servent de principal combustible, mais quand commence-t-on à les utiliser et surtout à éliminer la graisse.

Carmen arrive au gym et commence son entraînement par des exercices d'aérobie. Elle se tape d'abord 20 minutes de tapis roulant pour «brûler de la graisse», puis elle laisse la place à une autre personne tout aussi grassouillette et déroutée. Fière d'avoir accompli la portion aérobie de son programme, Carmen termine en quelques minutes son entraînement avec les poids. Après tout, la perte de graisse est son principal objectif et les muscles peuvent bien attendre. Mais Carmen, comme bien d'autres, se trompe non seulement sur la durée de ses exercices d'aérobie, mais aussi sur l'ordre dans lequel elle devrait accomplir les différentes parties de son programme d'entraînement. ■

Combien de temps devraient durer les exercices cardiovasculaires pour que la dégradation des lipides soit efficace? La réponse peut sembler surprenante puisque la limite de temps permise sur les appareils d'aérobie est de 20 minutes. En effet, la plupart des centres de conditionnement physique affichent des notes du genre: «Par respect pour les autres membres, veuillez vous limiter à un entraînement de 20 minutes sur les appareils d'aérobie.» Mais ces 20 minutes suffisent-elles à nous faire brûler de la graisse? Malheureusement, non!

Lancer le moteur: L'hiver, dès que nous sommes assis sur la banquette toute froide de notre voiture pour mettre le moteur en marche, nous allumons instinctivement le système de chauffage. Pourtant aucune chaleur ne peut en sortir puisque le moteur n'a pas eu le temps de se réchauffer. Notre organisme est comme le moteur de notre voiture: il doit prendre quelques minutes pour s'échauffer.

Les lipides, un combustible à «indice d'octane élevé», ne fonctionnent pas à froid. L'organisme commence plutôt à s'échauffer avec un riche mélange de glucose. Pour passer ensuite aux lipides, il doit déclencher certaines réactions hormonales et enzymatiques. Rappelons-nous que les hormones sont de minuscules messagers chimiques qui envoient des ordres aux cellules; les enzymes voient à exécuter les ordres reçus. Dans le cas qui nous occupe, les glandes surrénales, qui coiffent les reins, mettent le système en marche. En réponse à un facteur de stress, les hormones des glandes surrénales stimulent la libération d'acides gras par les cellules adipeuses. Les acides gras passent dans le sang puis sont transportés, à l'aide de protéines de transport spéciales, vers les cellules musculaires, où des enzymes précises se mettent à l'œuvre pour dégrader les acides gras. Cette réaction, qui dépend d'un certain nombre de variables dont la présence de fibres alimentaires et de nutriments, prend environ 20 minutes, ce qui anéantit la théorie voulant que la combustion des lipides débute dans les 20 premières minutes d'activité physique. Ainsi, juste au moment où nous débarquons du tapis roulant, notre organisme venait de changer de combustible et passait du glucose aux lipides. Dommage que nous soyons en train de filer vers la douche!

Réactiver le moteur: Deux possibilités s'offrent à nous pour compenser les 20 minutes de mise en route dont a besoin notre organisme avant de commencer à brûler de la graisse:

- Faire des exercices cardiovasculaires durant plus de 20 minutes.
- Faire les exercices cardiovasculaires après l'entraînement avec les poids.

La pertinence de la première option est évidente. Nous avons déjà établi que la combustion des lipides commence après 20 minutes d'exercices cardiovasculaires ; prolonger la durée de ces exercices est donc une bonne idée si notre objectif est de perdre du tissu adipeux. Mais qu'en est-il du second choix ? Pourquoi faire les exercices d'aérobie après l'entraînement avec les poids nous permettrait-il d'éliminer de la graisse ?

Une certaine euphorie nous envahit après une bonne séance d'entraînement avec les poids. Ce sentiment est dû à la libération d'un mélange d'endorphines (substances analgésiques encore plus puissantes que la morphine), d'hormones anabolisantes (la testostérone et l'hormone de croissance) et de substances chimiques (l'adrénaline et la noradrénaline). Même si l'entraînement avec les poids se fait surtout en état anaérobie (sans oxygène) et que nous utilisons principalement du glucose comme combustible, notre organisme réagit au stress non seulement en provoquant cette extraordinaire sensation de bien-être après l'exercice mais aussi en libérant des acides gras.

Faire des exercices cardiovasculaires après l'entraînement avec les poids équivaut à monter dans une voiture dont le moteur a tourné durant quelques minutes. Il ne reste plus qu'à mettre le système de chauffage en marche pour recevoir une bonne bouffée d'air chaud. De la même façon, un organisme échauffé sera apte à dégrader les acides gras dès le début des activités d'aérobie. Nous pouvons donc faire nos 20 minutes d'aérobie en sachant que les lipides serviront de principal combustible. Cela est particulièrement vrai si nous avons fait travailler nos muscles régulièrement durant une assez longue période (de 30 à 45 jours au moins), par exemple en marchant ou en faisant de l'entraînement en résistance. Des muscles en forme peuvent accroître leur capacité à utiliser les lipides comme source d'énergie privilégiée.

Quand faut-il s'entraîner ?

L'intensité des exercices ainsi que leur durée et leur ordre détermineront quel combustible sera utilisé ; après 20 minutes d'exercices (un peu moins si nous sommes en bonne forme physique), l'organisme passe à la combustion des lipides et peut maintenir cette phase un certain temps. Voici une dernière question : À quel moment est-il préférable de s'entraîner pour stimuler la dégradation de la graisse ? Si nous avons réussi à accélérer notre métabolisme durant des heures après avoir fait les bons types d'exercices, nous devrions atteindre rapidement notre objectif de perte de tissu adipeux. Eh bien, les choses ne sont pas aussi simples. La plupart des gens s'entraînent le soir. Les centres de conditionnement physique sont alors bondés et il faut faire la file pour réussir à utiliser les appareils. S'entraîner le soir, généralement après le travail, est inefficace pour deux raisons :

- Nous sommes habituellement épuisés après une journée de travail et il nous reste peu d'énergie pour nous entraîner. Nous avons déjà bien assez de peine à nous astreindre à préparer le souper, au diable l'entraînement. Notre motivation est souvent au plus bas le soir et bien des gens trouvent un millier d'excuses pour éviter de s'entraîner. « Je suis trop fatigué ce soir ; j'en ferai le double demain. » Bien sûr, et pendant que vous y êtes, pourquoi ne feriez-vous pas mon propre programme à ma place ? Le problème, c'est que le métabolisme ne s'accélère que la journée de l'entraînement (à moins que vous ayez réussi à augmenter votre masse musculaire). Donc, si vous ratez quelques séances d'entraînement, votre métabolisme revient à la case départ : rebonjour la graisse !
- Le sommeil diminue la capacité de l'organisme à dégrader de la graisse. Notre métabolisme peut s'accélérer légèrement pendant notre sommeil, mais cela ne compense aucunement le métabolisme énergétique que nous pouvons atteindre lorsque nous sommes éveillés.

Le matin est le meilleur moment pour faire de l'exercice et stimuler la combustion de la graisse. Je sais : sortir du lit est déjà bien assez difficile sans devoir penser à sautiller sur un tapis roulant. Mais après quelques semaines, notre organisme s'habitue à ce nouvel horaire et nous finissons par nous demander comment nous avons pu nous entraîner à d'autres moments de la journée.

En faisant nos exercices le matin, nous permettons à notre organisme de profiter toute la journée de l'accélération du métabolisme. Pensez aux nombreux avantages. Notre organisme se mettra à dégrader de la graisse plus efficacement après chaque repas. Pourquoi risquer de perdre cet avantage en allant nous entraîner le soir, à moins de n'avoir aucunement le choix ? De plus, la seule excuse qui nous empêche de nous entraîner le matin est que nous sommes fatigués. Le matin, les centres de conditionnement physique sont moins achalandés que le soir. Alors, ne vaut-il pas la peine de faire des efforts pour nous entraîner au moment de la journée qui nous fera brûler le plus de graisse possible ?

Les 5 règles pour accroître la masse musculaire et stimuler la combustion des lipides

Il existe de bonnes et de mauvaises façons de s'y prendre pour effectuer un programme d'exercices. En suivant les conseils de cette section, vous progresserez rapidement. C'est à partir de mon expérience dans le monde du conditionnement physique que j'ai réuni les principes suivants.

- Prenez toujours le temps d'échauffer vos muscles. Des muscles inactifs et non échauffés ne donneront pas un bon rendement, et vous pourriez vous blesser si vous leur en demandez trop. Prenez de 10 à 15 minutes pour vous échauffer. Vous pouvez activer votre circulation sanguine en marchant sur un tapis roulant ou en pédalant sur un vélo stationnaire. Je vous recommande de ne pas étirer les muscles à froid pour éviter les blessures. Échauffez un groupe de muscles avant de l'étirer.
- La technique est primordiale, surtout lorsque vous vous entraînez avec des poids. Si j'avais reçu un dollar toutes les fois que j'ai vu quelqu'un mal faire ses exercices, je serais millionnaire. Les gens semblent tellement pressés de terminer leur entraînement qu'ils s'y prennent de la mauvaise façon et ne prêtent même pas attention aux exercices qu'ils sont en train de faire. Si vous voulez obtenir des résultats rapidement, prenez le temps de bien faire chaque exercice et de maîtriser chaque répétition : levez les poids doucement et abaissez-les en comptant jusqu'à deux.
- Ne laissez jamais votre corps « s'ennuyer ». L'organisme s'adapte assez rapidement à certains exercices. Si vous répétez toujours les mêmes exercices dans le même ordre durant une certaine période (plus d'un mois), votre organisme s'y adaptera et les progrès cesseront. Vous devez constamment garder votre système nerveux en alerte et se demander quel exercice vous vous apprêtez à faire. Des recherches ont démontré que l'organisme peut s'adapter au même enchaînement en moins de six séances.
- Il a été démontré scientifiquement que le nombre de répétitions et l'intensité des séries d'exercices avec les poids ont des effets sur les résultats. Certains experts affirment que de 4 à 6 répétitions du même exercice accroissent davantage la masse musculaire, d'autres croient qu'il est préférable de faire de 8 à 10 répétitions, alors que d'autres encore pensent qu'il faudrait effectuer 15 répétitions et plus. Le néophyte peut s'y perdre devant toutes ces affirmations ;

pour comprendre en quoi devrait consister un enchaînement d'exercices adéquat, examinons les deux types de tissu musculaire de l'organisme. Les muscles de type IIa sont constitués de fibres à contraction lente et ont un potentiel oxydatif élevé; les muscles de type IIb sont constitués de fibres à contraction rapide et ont un potentiel oxydatif faible.

Les muscles de type IIa: Les fibres musculaires à contraction lente utilisent l'oxygène pour mettre à profit un approvisionnement régulier en énergie. Elles se contractent évidemment plus lentement que les fibres à contraction rapide et elles conviennent bien aux activités aérobiques peu intenses parce qu'elles peuvent soutenir des contractions prolongées. Elles renferment une grande quantité de capillaires (petits vaisseaux sanguins), qui servent au transport de l'oxygène et des nutriments vers les cellules musculaires et à l'élimination des déchets comme le dioxyde de carbone. Le pourcentage de fibres musculaires de ce type est élevé chez les athlètes qui excellent dans les activités d'endurance.

Les muscles de type IIb: Comme les fibres musculaires à contraction rapide nécessitent peu d'oxygène, elles fonctionnent efficacement en état anaérobie. Elles peuvent se contracter rapidement et elles conviennent bien aux activités faisant appel à la force et à la rapidité. L'organisme y a recours dans les activités exigeant peu d'endurance mais de rapides poussées d'énergie, comme l'haltérophilie, les sprints et les sauts, ainsi que dans les sports comme le basketball et le volleyball, au cours desquels alternent les périodes d'activité intense et de relâchement musculaire. Les fibres à contraction rapide ne peuvent soutenir des contractions prolongées à cause de la libération d'acide lactique, un sous-produit de l'état anaérobie. Le pourcentage de fibres musculaires de ce type semble élevé chez les athlètes qui excellent dans les activités intenses et de courte durée.

Le nombre de répétitions des séries d'exercices diffère selon que l'on veut développer les fibres musculaires à contraction lente ou rapide. Pour renforcer les muscles de type IIa, il faut faire plus de répétitions que pour renforcer les muscles de type IIb. Faites vos exercices en variant le nombre de répétitions entre 6 et 15. Vous pourriez adopter l'enchaînement suivant: Première série: 15 répétitions; deuxième série: 10 répétitions; troisième série: de 6 à 8 répétitions.

• Prenez une dizaine de minutes après l'entraînement pour faire récupérer vos muscles. C'est le bon moment de faire des étirements. Étirez vos muscles lentement et respirez profondément. Maintenez chaque mouvement au moins 10 secondes, et préférablement de 30 secondes à 1 minute, puis revenez à la position de départ. La plupart des gens n'effectuent pas correctement les exercices d'étirement, ce qui ne peut que provoquer des blessures. Par ailleurs, l'étirement permet d'éliminer le surplus d'acide lactique produit au cours de la période d'entraînement avec les poids.

COMBIEN DE CALORIES DOIS-JE BRÛLER?

Trop de gens se préoccupent exagérément du nombre de calories brûlées. Pour cette raison, ils font durer leur séance d'entraînement trop longtemps. Forcer la note ne vaut pas mieux que de ne pas en faire assez puisque les effets positifs des activités peuvent être annulés par la production excessive de cortisol, l'hormone du stress.

Un stress trop élevé entraîne la libération excessive de cortisol, l'hormone qui détruit le tissu musculaire. Le Dr Barry Sears, auteur de la série d'ouvrages à succès *The Zone*, nous met en garde contre un entraînement avec des poids qui dépasse 45 minutes. En effet, après ce laps de temps, selon l'intensité de l'activité, la concentration de cortisol augmente à un point tel que la récupération peut être compromise. Rappelez-vous que le cortisol élimine l'azote, une substance indispensable, du tissu musculaire et transforme les acides aminés en glucose de façon à produire plus d'énergie. Plus la production de cortisol est élevée, plus il est difficile de s'en débarrasser et plus nous en subissons les effets néfastes.

De toute façon, nous ne pourrons jamais être satisfaits du nombre de calories brûlées au gym. Toutefois, il est intéressant de constater que notre organisme peut réussir à dégrader plus de graisse après l'exercice que durant l'exercice.

La plus grande partie de la combustion des lipides n'a pas lieu durant les séances d'exercices cardiovasculaires et d'entraînement avec les poids. L'intérêt de ces activités provient surtout de leur aptitude à accélérer ensuite le métabolisme basal (la vitesse à laquelle notre organisme brûle des calories au repos); cette accélération est due à l'augmentation de la libération des hormones anabolisantes, la testostérone et l'hormone de croissance, environ 15 minutes après l'exercice. Dans la mesure où nous n'annulons pas cette accélération du métabolisme par la consommation de «mauvais aliments», l'organisme maintiendra cette capacité à dépenser plus d'énergie durant plusieurs heures. D'ailleurs, une étude a démontré que les deux tiers de la combustion des lipides se produit *après* la séance d'exercices. Il a été prouvé que cette augmentation du potentiel de lipolyse pouvait durer plus de 15 heures chez les athlètes d'élite.

Après la séance d'exercices, que nous allions au travail ou que nous nous étendions devant la télé, notre organisme continue de transformer les lipides en énergie. En effet, nous savons qu'il se produit alors une augmentation de la consommation d'oxygène et de l'activité de l'enzyme lipolytique. L'oxydation des lipides augmente et le cycle acides gras-triglycérides s'accélère. Vous vous rappelez que les acides gras sont très denses et qu'il faut une grande quantité d'oxygène et une activité enzymatique intense pour les éliminer? L'augmentation de la consommation d'oxygène et de l'activité enzymatique qui se produit après un entraînement permet donc d'éliminer les acides gras. En réalité, des études menées en Suède ont montré que la concentration de l'enzyme lipolytique (la lipoprotéine lipase) dans le sang restait élevée durant 12 heures après une marche d'une heure.

Par ailleurs, l'organisme peut dégrader de la graisse non seulement durant la période suivant un entraînement mais aussi pendant le sommeil. Plus le métabolisme est élevé pendant le sommeil, plus nous brûlons de calories. Des recherches ont démontré que l'exercice pouvait accroître notre capacité à brûler de la graisse pendant notre sommeil en accélérant notre métabolisme jusqu'à 18,6 %.

S'ENTRAÎNER AU GYM OU À LA MAISON?

Les centres de conditionnement physique sont habituellement des endroits fort intéressants, mais ils ne conviennent pas à tout le monde. Outre que l'atmosphère y est vivante et amicale, ils comptent habituellement des entraîneurs accrédités qui peuvent offrir de précieux conseils. Ils mettent à la disposition de leur clientèle toute une gamme de poids et haltères et de machines à contre-poids, ce qui n'est pas le cas à la maison. Au gym, nous pouvons suivre un circuit en utilisant l'un après l'autre divers appareils ou poids et haltères de façon à maximiser l'efficacité de notre entraînement. Nous pouvons aussi faire appel à un entraîneur personnel qui nous aidera à améliorer notre technique (ce service coûte plus cher, mais peut en valoir la peine, surtout dans le cas des débutants).

L'inconvénient du gym est que l'abonnement coûte de l'argent : entre 35 $ et 55 $ par mois, et parfois plus si le centre offre des services de qualité supérieure. En outre, certaines personnes peuvent se sentir mal à l'aise d'aller s'entraîner dans un gym puisque, à première vue, tous les clients semblent déjà être des habitués aux muscles bien gonflés. Ça peut être intimidant de voir Richard, le maniaque des poids et haltères, s'approcher de nous et nous jeter un coup d'œil en ayant l'air de dire : « Qu'est-ce que *tu* viens faire ici ? » De plus, l'entraînement au gym prend plus de temps qu'à la maison : il faut s'y rendre, faire l'entraînement, prendre sa douche, puis revenir à la maison. Si nous devons ajouter une autre heure à une journée déjà bien remplie, voilà une autre excuse pour éviter de faire de l'exercice.

Ne vous méprenez pas. Je crois que les avantages de s'entraîner au gym dépassent largement les inconvénients, mais l'important est de choisir le moyen qui nous convient le mieux pour augmenter nos activités physiques et gagner notre guerre contre le gras. Une mise en garde s'impose toutefois. Ne laissez pas l'entraîneur vous présenter un programme de musculation ordinaire ou, si vous souffrez d'embonpoint, vous recommander de vous acharner sur un tapis roulant. Le rôle de l'entraîneur devrait se limiter à vous montrer comment effectuer adéquatement et en toute sécurité les différents exercices contre résistance.

Vous pourriez effectuer des dizaines d'exercices, mais je préfère les levers de base, qui sont faciles à exécuter et qui sollicitent un grand nombre de muscles en peu de temps. Un abonnement de trois mois devrait vous permettre de vérifier si l'entraînement dans un gym vous convient ; si vous décidez ensuite de continuer à vous entraîner à la maison, vous n'aurez ainsi pas trop dépensé d'argent.

Ne soyez pas mal à l'aise d'aller vous entraîner dans un centre de conditionnement physique; les personnes que vous y côtoierez savent que des milliers d'autres n'ont pas votre courage et ils vous respecteront pour les efforts que vous faites. Personne ne se moquera de vous ou ne vous critiquera d'entreprendre cette lutte. De toute façon, regardez autour de vous: la moitié des clients, sinon la majorité, vous ressemblent. Au centre où je m'entraîne, les corps bien bâtis, les habitués aux muscles bien gonflés sont des espèces rares.

Si vous ne pouvez vous offrir un abonnement au gym, si vous êtes trop mal à l'aise pour vous entraîner avec d'autres, si vous manquez de temps ou si vous préférez vous entraîner seul, pensez à faire votre entraînement à la maison ou dehors. Il n'est pas nécessaire d'avoir des appareils aussi perfectionnés que ceux que l'on trouve dans les centres de conditionnement physique pour obtenir de bons résultats. Je crois que ces appareils peuvent être utiles, mais vous pouvez tout aussi bien vous procurer pour moins de 60 $ un ensemble de barres à disques ou de poids et haltères dans une grande surface ou une boutique d'articles de sport. Vous pouvez également employer toutes sortes d'articles courants comme une serviette ou quelques vieux contenants (de plus en plus gros à mesure que votre forme physique s'améliore) que vous remplirez d'eau ou de sable.

SOYEZ ACTIF TOUT AU LONG DE LA JOURNÉE

Le moindre effort compte. Plus vous bougez durant la journée, plus votre organisme dégradera une grande quantité de graisse. L'activité accroît la capacité de l'organisme à brûler des calories. Le moindre changement aura des effets positifs: monter les escaliers à pied au lieu de prendre l'ascenseur, choisir un espace de stationnement le plus loin éloigné possible du centre commercial, vous amuser avec vos enfants au lieu de leur dire «je suis trop fatigué». Ne vous limitez pas aux séances d'exercices comme telles. Elles constituent bien sûr le principal moyen de parvenir à votre but, mais les autres formes d'activité favoriseront aussi l'accélération du métabolisme. Lorsque vous êtes assis devant le téléviseur, prenez un élastique ou des poids et faites travailler vos muscles en maintenant une certaine résistance. Le moindre effort vous rapprochera de la victoire.

LA BONNE FORME EN VOYAGE

Si vous voyagez beaucoup, prévoyez de poursuivre votre programme d'entraînement même à l'extérieur. S'il n'y a pas de salle de conditionnement physique à votre hôtel, organisez-vous pour faire quelques exercices, dont des exercices avec des poids.

Vous pouvez vous procurer des poids et haltères en vinyle. Vous les mettez dans vos bagages et une fois dans votre chambre d'hôtel vous les remplissez d'eau pour faire vos exercices. Les élastiques se transportent bien aussi (j'en utilise moi-même quand il n'y a pas de gym dans les environs). Rappelez-vous que le moindre effort compte! Mieux vaut vous entraîner peu que pas du tout, surtout si vous avez besoin de brûler les calories supplémentaires que renferment habituellement les repas pris au restaurant (il n'est pas défendu d'en laisser dans votre assiette!).

Vous savez maintenant qu'en faisant de l'exercice régulièrement vous réussirez à perdre de la graisse de façon permanente, mais voici quelques règles de base qui vous mèneront au succès (ou à la défaite, selon ce que vous en ferez!):

- Ne vous attendez pas à voir votre corps se transformer du jour au lendemain. Nous semblons tous oublier que nous ne nous sommes pas éveillés un matin tout enveloppés de graisse. La graisse s'est ajoutée peu à peu, à mesure que nous devenions de plus en plus sédentaires. Comme nous n'avons pas engraissé du jour au lendemain, il faut aussi du temps pour perdre cette graisse. Accordez-vous assez de temps pour atteindre vos objectifs, une once de graisse à la fois.
- Les échecs passés ne comptent pas. Vous pouvez vous demander si les nouvelles stratégies expliquées dans ce livre fonctionneront pour vous. Vous avez peut-être déjà mis fin à un programme d'entraînement parce que vous n'aviez pas obtenu les résultats escomptés. Mais tout cela va maintenant changer. Si vous suivez à la lettre le programme présenté dans ce livre, vous perdrez de la graisse, que vous soyez un homme, une femme ou un enfant, et ce, peu importe votre degré d'embonpoint.
- Passez à l'action. Vous ne brûlerez pas de graisse simplement en lisant ce livre. *Vous* devez agir pour éliminer cette graisse superflue. Vous devez vous motiver pour réussir. La meilleure façon de

prendre l'habitude de faire de l'exercice, c'est de s'y mettre, en commençant par suivre le programme de transformation en 45 jours expliqué au chapitre 14.

- Examinez franchement les raisons pour lesquelles vous vous empêchez de faire de l'exercice (ne jetez pas le blâme sur votre situation). Ne vous rendez pas malade. Il y aura des moments où vous ne pourrez pas faire de l'exercice. Mais la plupart du temps, le problème est «dans la tête». Ne remettez plus votre décision à plus tard et mettez-vous à l'œuvre!

Mettez en application les stratégies de ce livre comme s'il s'agissait des dernières armes dont vous disposez pour gagner votre guerre contre le gras: elles le sont d'ailleurs. Si vous ne faites pas d'exercices, vous n'atteindrez pas vos objectifs. Et même si vous perdez du poids, vous le reprendrez sans doute et continuerez à engraisser. Est-ce vraiment ce que vous voulez? Ou bien préférez-vous vous débarrasser de la graisse à tout jamais? C'est bien ce que je pensais.

CHAPITRE 14

Le plan d'action de
La guerre au gras

Ce chapitre vous aide à concevoir votre propre programme de transformation en 45 jours. Pourquoi ce nombre de jours? Parce que je sais par expérience qu'il faut au moins 45 jours avant de pouvoir remarquer des changements significatifs dans notre silhouette, notre rendement et notre façon de nous sentir. Rappelez-vous que ce programme ne constitue pas une méthode d'amaigrissement rapide. Il faut de la volonté et un travail acharné pour se défaire de vieilles habitudes. Rien ne change du jour au lendemain: une transformation qui doit durer toute la vie s'effectue pas à pas.

Ce programme de transformation en 45 jours se déroule en réalité en 9 semaines, soit 9 périodes de 5 jours allant du lundi au vendredi. Cela ne signifie pas que vous pouvez oublier votre programme les fins de semaine pour le reprendre le lundi suivant. Non, ces périodes de cinq jours donnent une chance à votre organisme de s'adapter à l'entraînement en résistance, aux exercices cardiovasculaires et à votre nouveau type d'alimentation. Les fins de semaine, vous pouvez ou bien poursuivre les activités d'aérobie en allant marcher ou en faisant toute autre activité à faible impact, ou bien ne faire aucun exercice. Le choix vous appartient. Écoutez votre corps: il aura parfois besoin de repos après une semaine particulièrement difficile; parfois vous voudrez sortir vous amuser. Quel que soit votre choix, il importe de vous en tenir à votre nouvelle stratégie alimentaire tout au long de ces neuf semaines (eh oui, les fins de semaine aussi).

Prenez véritablement un engagement de neuf semaines. Après tout, ce n'est pas si long pour adopter de nouvelles habitudes et améliorer sa forme et son état de santé. J'ai vu bien des gens entreprendre sans enthousiasme le programme de transformation de *La guerre au gras* et finalement se montrer tout à fait heureux d'avoir persévéré et affirmer que le temps avait passé bien vite. Vous serez surpris de constater à quel point vous vous sentirez bien après ces 45 jours, sans compter ce que diront les gens autour de vous. Les changements pourront ne pas sembler significatifs au début, mais à la longue, votre vie, comme votre corps, aura changé.

Le passage suivant d'un ouvrage qu'on trouve en ligne, *Life's Riddle* de Nils A. Amneus, résume bien la philosophie derrière le type de changement dont je veux vous entretenir:

Le moindre effort compte

Il peut être ardu de soulever le plateau d'une balance sur lequel est disposé une pierre. Mais les grains de sable qui tombent un à un sur l'autre plateau finissent par y parvenir. Au début, le sable ne semble avoir aucun effet puisque le plateau sur lequel est déposée la pierre ne bouge pas. Puis, soudain, il se soulève. Il en est de même de nos propres actions. Nous ne savons pas quelle est la taille de notre «pierre», combien de points d'inaptitude nous avons accumulés, et il nous faudra peut-être attendre longtemps avant que nos efforts ne portent des fruits. Mais comme chaque grain de sable qui a eu un rôle à jouer pour contrebalancer le poids de la pierre, la moindre amélioration compte et finit avec le temps par annuler tous les points d'inaptitude.

Votre pierre peut se comparer à vos réserves de graisse, et le sable, à tous les petits changements que vous allez entreprendre au cours des 45 jours du programme. En peu de temps, votre pierre se soulèvera pour laisser la place à la nouvelle personne que vous voulez devenir. Mais après avoir éliminé le surplus de graisse, vous devrez conserver les nouvelles habitudes que vous aurez acquises afin de ne plus jamais voir la graisse réapparaître. Voilà pourquoi vous devrez maintenir votre engagement et ne jamais regarder en arrière. Heureusement, il est facile de s'habituer à être en santé.

LE MEILLEUR MOMENT POUR CHANGER

Le livre *La guerre au gras* vous présente une approche scientifique qui vous aide à modifier votre silhouette, vos sentiments et votre rendement. Vous avez donc intérêt à commencer à modifier vos habitudes dès aujourd'hui. Il est très difficile de changer; il faut du courage pour perdre des habitudes ancrées en nous depuis longtemps. Nos zones de confort nous sécurisent, même si nos mauvaises habitudes de vie nous ont menés là où nous en sommes.

L'échec, croyez-le ou non, peut aussi être rassurant. Si vous avez de l'embonpoint depuis longtemps, cet état peut vous sécuriser, et ce, même si vous voulez à un certain point (et sans doute même très profondément) changer. Cette zone de confort (vous abriter derrière votre couche de graisse) vous permet de faire face à des situations auxquelles vous êtes habitué. Si vous vous débarrassiez de cette couche protectrice, vous vous retrouveriez en terrain inconnu. Votre silhouette serait plus belle que jamais, vos sentiments, plus positifs et votre rendement, meilleur. Au lieu de considérer ces changements comme inquiétants, voyez-les comme quelque chose d'excitant.

LE PROGRAMME DE TRANSFORMATION EN 45 JOURS DE *LA GUERRE AU GRAS*

Au cours des 45 prochains jours, vous entreprendrez certains changements qui vous prépareront à perdre de la graisse de façon permanente. La sensibilité des cellules à l'insuline augmentera, réduisant d'autant la concentration d'insuline au repos ainsi que les lipides et le glucose présents dans le sang. Vos cellules musculaires seront alors prêtes à dégrader de la graisse.

Au cours de cette période de 45 jours, votre organisme s'adaptera aux portions aérobie et entraînement en résistance du programme d'exercices, et vous sentirez vos muscles se développer. Il en résultera chez l'homme un accroissement de la force et de la masse musculaires ainsi qu'une augmentation des concentrations des protéines de transport, des enzymes lipolytiques et des facteurs immunitaires, La femme verra aussi sa force et la concentration de protéines intracellulaires augmenter, mais sans subir un accroissement du volume musculaire aussi important que celui du sexe opposé. La concentration de cortisol (l'hormone qui détruit le tissu musculaire) commencera à baisser et la concentration de glucagon (l'hormone qui libère la graisse) augmentera. Vous brûlerez du tissu adipeux, mais vous formerez du tissu musculaire, dont la masse est plus élevée. Vous serez plus mince mais pas nécessairement plus léger.

Ne vous découragez pas les premières semaines; vous perdrez sans doute quelques batailles en cours de route. Votre organisme s'est habitué à cette graisse superflue qui vous enveloppe et peut opposer de la résistance au changement que vous voulez lui imposer. Persévérez et dans 45 jours les progrès accomplis vous surprendront.

Prenez vraiment l'engagement de suivre au complet le programme de transformation en 45 jours de *La guerre au gras* et d'en respecter minutieusement les recommandations. Dressez une liste de vos habitudes alimentaires et des changements que vous devrez y apporter. Engagez-vous à évaluer votre régime alimentaire et commencez à acheter des aliments plus sains et à en consommer cinq ou six fois par jour. Allez-y progressivement pour incorporer ces nouvelles habitudes à votre mode de vie.

L'importance de l'eau

Même si nous voulons améliorer notre santé, nous oublions souvent d'augmenter la consommation de l'un des principaux éléments qui soient: l'eau. L'eau est essentielle aux fonctions biochimiques de l'organisme humain (notre organisme est, en réalité, principalement constitué d'eau). Nos os renferment 25 % d'eau, notre cerveau et nos muscles en contiennent 75 %, et le sang et nos poumons, plus de 80%. Avec l'oxygène, l'eau est la substance la plus indispensable à la vie. Alors pourquoi n'en buvons-nous pas suffisamment? Vous pourriez me rétorquer: «Je bois une grande quantité de liquides: du jus, du café, du thé et des boissons gazeuses.» Mais rien ne peut remplacer l'eau. Bien des gens sont en fait déshydratés sans le savoir!

Au cours des séances d'exercices, il est primordial d'accroître notre consommation d'eau, puisque cet élément est essentiel au fonctionnement du système cardiovasculaire et à la thermorégulation. Pendant l'exercice, les muscles dégagent de la chaleur. Des capillaires (de petits vaisseaux sanguins) acheminent cette chaleur à la surface de la peau où elle est éliminée. La sécrétion de la sueur par les glandes sudoripares et son évaporation entraînent un refroidissement de la peau et du sang des capillaires.

La transpiration est un mécanisme essentiel au refroidissement de l'organisme et celui-ci doit recevoir une quantité suffisante d'eau pour fonctionner adéquatement, sinon sa capacité de transporter le sang diminue. N'oublions pas que le sang achemine les nutriments comme l'oxygène, le glucose, les acides gras et les protéines vers les cellules musculaires pour produire de l'énergie. Le sang doit aussi retirer les résidus toxiques produits par les réactions métaboliques comme le dioxyde de carbone et l'acide lactique. Étant donné que le système circulatoire est constitué de presque 70 % d'eau, la demande d'eau peut être assez grande. Au cours d'exercices intensifs, la sueur, l'évaporation et l'exhalation peuvent faire perdre de 5 lb à 8 lb de liquides. Des études démontrent que, pour chaque livre de liquide perdue, l'efficacité de la production d'énergie diminue de manière significative. Essayez de consommer de l'eau filtrée tout au long de la journée.

La perte de réserves de graisse peut aussi entraîner la libération de toxines dans l'organisme puisque bon nombre de toxines logent dans le tissu adipeux. L'eau est essentielle au processus de désintoxication; comme vous perdrez de la graisse, consommez autant d'eau que vous le pouvez.

Dans le best-seller *Your Body's Many Cries for Water*, Le Dr Fereydoon Batmanghelidj laisse supposer qu'à un certain moment de l'évolution les signaux de la faim et de la soif peuvent avoir fusionné. Le Dr Batmanghelidj croit que la soif nous tenaille plus souvent que la faim, mais que nous interprétons mal ce signal. Pour mettre fin au désir de trop manger, vous pouvez boire un verre d'eau avant les repas. Apportez une bouteille d'eau partout où vous allez (je garde même de l'eau à mon chevet la nuit) et buvez-en avec une paille pour éviter d'avaler trop d'air.

C'est le temps de passer à l'action

Vous avez appris jusqu'à maintenant quels types d'exercices effectuer et de quelle manière les exécuter pour obtenir les meilleurs effets possibles. Il est maintenant temps de vous mettre à l'œuvre. Si vous n'avez jamais fait d'entraînement avec des poids, il serait souhaitable que vous engagiez durant une semaine un entraîneur personnel qui vous aidera à vous familiariser avec le programme de transformation en 45 jours de *La guerre au gras*. Tenez-vous-en aux exercices et aux répétitions demandés puisque le programme a été conçu de façon à vous permettre de constater des résultats à l'intérieur de ces 45 jours.

Vous pouvez ajouter les suppléments recommandés à n'importe quel moment au cours du programme, mais il est préférable de les inclure dès le début. Par ailleurs, ce programme n'a pas pour but de vous épuiser ; ne brûlez donc pas la chandelle par les deux bouts ! Accordez-vous suffisamment de repos et de sommeil pour permettre à votre organisme de récupérer et pour vous assurer des progrès constants. Rappelez-vous qu'après les 45 premiers jours vous ne voudrez plus revenir en arrière. Suivez la démarche progressive que je vous propose et bienvenue à la nouvelle personne que vous vous préparez à devenir !

LA CONCEPTION DE VOTRE PROGRAMME ALIMENTAIRE
LA GUERRE AU GRAS

Quelle quantité de nourriture puis-je consommer dans une journée ?

Pour obtenir les meilleurs résultats possibles, vous devez établir votre apport calorique quotidien. Si vous ingérez plus de calories que vous n'en brûlez dans une journée, le reste finira en poignées d'amour…

Méthode de calcul rapide : Servez-vous de la méthode suivante si vous ne pouvez faire mesurer votre masse corporelle. Multipliez votre poids en livres par un des chiffres suivants :

Femme sédentaire : 12 ; Homme sédentaire : 14

Femme active : 15 ; Homme actif : 17

Le résultat constitue une approximation de vos besoins caloriques quotidiens. Ce nombre n'est pas aussi précis que celui que vous obtiendrez en suivant la méthode décrite ci-dessous, mais il vous permet d'entreprendre votre programme de perte de graisse jusqu'à ce que vous puissiez faire mesurer votre pourcentage de masse adipeuse de façon plus précise.

Comme votre objectif est de perdre de la graisse, vous devrez soustraire 500 calories de vos besoins caloriques quotidiens (tout en augmentant vos activités physiques).Vous devriez alors perdre environ 2 lb par semaine, ce qui est, d'après les recherches, le moyen le plus sain de perdre pour de bon la graisse accumulée. Prenons l'exemple d'une femme de 180 lb, qui entreprend un programme d'exercices. Le calcul serait alors : $180 \times 15 = 2\,700$ calories moins 500 calories pour la perte de poids, ce qui donne un apport calorique quotidien de 2 200 calories.

Si vous trouvez que votre graisse ne fond pas assez rapidement, vous pouvez soustraire tout au plus 250 autres calories de votre apport calorique quotidien. Ne réduisez pas plus d'une fois par semaine votre apport calorique quotidien et maintenez ensuite le même nombre de calories toute la semaine.

● ●

NOMBRE DE CALORIES CALCULÉ À L'AIDE DE LA MESURE DE LA MASSE CORPORELLE

Suivez la méthode ci-après si vous pouvez effectuer un test d'adiposité :

Étape 1 : Pour calculer votre masse maigre, vous devez d'abord établir quel est votre pourcentage de masse adipeuse à l'aide d'un des tests d'adiposité présentés à l'annexe I. Pour connaître votre pourcentage de masse maigre (la masse corporelle moins le tissu adipeux), vous devez multiplier votre poids actuel par le pourcentage de masse adipeuse établi par le test effectué. Par exemple, une femme de 180 lb ayant un pourcentage de masse adipeuse de 40 % aura une masse maigre de 60 %, soit 108 lb. Comme le pourcentage de masse adipeuse idéal est de 15 % pour un homme et de 24 % pour une femme, il faut multiplier la masse maigre par un de ces nombres (ou par le pourcentage recherché). La femme de notre exemple doit donc multiplier 108 (sa masse maigre) par 24 % et ajouter le résultat (26 lb) à sa masse maigre. Son poids idéal est donc de 134 lb. Elle sait alors qu'elle a 46 lb à perdre pour atteindre son poids idéal.

Étape 2 : Prenez le poids idéal (134 lb dans notre exemple) et multipliez-le par 10, soit 134 x 10 = 1 340.

Étape 3 : À l'aide du tableau ci-dessous, multipliez le poids actuel par le facteur d'activité approprié. Reprenons notre exemple : la femme de 180 lb qui mène une vie très active (surtout depuis qu'elle a entrepris le programme d'exercices de *La guerre au gras*) multipliera 180 par 7, soit 1 260.

FACTEUR D'ACTIVITÉ

Sédentaire	Actif	Très actif	Extrêmement actif
3	5	7	10

Étape 4: Le total des deux nombres trouvés aux étapes 2 et 3 donne les besoins caloriques pour maintenir le poids, soit 1 340 + 1 260 = 2 600 calories par jour.

Étape 5: Comme l'objectif est de perdre de la graisse, vous devez soustraire 500 calories à vos besoins caloriques quotidiens tout en accroissant vos activités. Vous perdrez ainsi environ 2 lb par semaine. Notre exemple : 2 600 calories moins 500 = 2 100 calories par jour.

Encore une fois, si vous trouvez que la graisse ne fond pas assez rapidement, vous pouvez réduire votre apport calorique de 250 calories par jour. Maintenez ensuite le même apport calorique au moins une semaine.

Le calcul de la ration de macronutriments par repas

Maintenant que vous avez calculé votre apport calorique quotidien, vous devez connaître la ration de macronutriments par repas, soit la quantité de glucides, de lipides et de protéines à consommer à chaque repas. Comme nous l'avons expliqué au chapitre 11, les proportions permettant la perte de graisse la plus efficace sont de 40 % de glucides, 30 % de lipides (graisses alimentaires) et 30 % de protéines. Veuillez consulter les chapitres 6, 7 et 8 pour revoir les listes d'aliments contenant chacun de ces macronutriments. Pour trouver la ration de macronutriments par repas, suivez les étapes suivantes.

Nombre total de calories par jour, calculé à partir du poids actuel, du degré d'activité et des objectifs de perte de graisse	Multiplier par :	Diviser par le nombre de calories par gramme :	Diviser par le nombre de repas par jour (établi en fonction de vos propres besoins) :	Ration de macronutriments :
	0,40	4	4	____ g de glucides par repas
	0,30	9	4	____ g de lipides par repas
	0,30	4	4	____ g de protéines par repas

Reprenons encore l'exemple de la femme de 180 lb qui avait trouvé, à l'aide de la méthode rapide, que son apport calorique quotidien devait s'élever à 2 200 calories par jour pour atteindre ses objectifs. Elle prendra six repas par jour. Le tableau sera le suivant :

Nombre total de calories par jour, calculé à partir du poids actuel, du degré d'activité et des objectifs de perte de graisse	Multiplier par :	Diviser par le nombre de calories par gramme :	Diviser par le nombre de repas par jour :	Ration de macronutriments :
	0,40	4	6	37 g de glucides par repas
	0,30	9	6	12 g de lipides par repas
	0,30	4	6	27,5 g de protéines par repas

Comme nous l'avons mentionné au chapitre 11, « Les principes alimentaires de *La guerre au gras* », le dernier repas de la journée (soit le repas 5 ou 6) devrait contenir peu de glucides (et préférablement aucun) pour permettre la dégradation optimale de la graisse rendue possible à la suite de la libération de l'hormone de croissance consécutive à une baisse de la sécrétion d'insuline. Ce repas est le seul auquel il faut faire cette modification ; le reste du temps, il faut respecter les proportions 40-30-30 dans toute la mesure du possible.

● ●

ÉLIMINER LE BLÉ ET LE RIZ

Pour obtenir les meilleurs résultats possibles au cours de la période de transformation en 45 jours de *La guerre au gras*, il est important d'éviter de consommer du blé et du riz. Cela signifie qu'au cours des neuf semaines du programme, vous devez éliminer le pain (sauf le pain fait avec du blé germé et ne contenant aucun gluten), les pâtes et le riz. Ces sont les sources d'aliments glucidiques qui semblent le plus fortement stimuler la libération de pics d'insuline et entraîner les plus grandes rages de sucre. Éviter ces aliments facilitera donc les choses. Après les neuf semaines du programme, vous pourrez, si vous le désirez, réintroduire ces aliments dans votre régime alimentaire.

LA COMPOSITION DE VOTRE PROGRAMME D'EXERCICES

Cette partie du programme de transformation constitue la clé du succès puisqu'elle vous permet d'augmenter la capacité de votre organisme à brûler de la graisse. La portion activité est fondée sur la philosophie de la périodisation de l'entraînement en résistance, que d'autres entraîneurs et moi-même avons utilisée avec succès. Les exercices sont modifiés progressivement de façon à en maximiser les bénéfices. Je vous propose dans les pages qui suivent deux programmes d'exercices. Le premier consiste en trois séances d'entraînement en résistance par semaine (lundi, mercredi et vendredi); chaque séance comporte des exercices qui font travailler tous les groupes musculaires de l'organisme.

Le second programme, qui consiste en quatre séances d'entraînement en résistance par semaine, se divise en deux : vous faites travailler certains groupes musculaires deux fois par semaine et certains autres groupes les deux autres fois. Au cours de la période de transformation en 45 jours, il n'est pas obligatoire de faire des activités aérobiques les fins de semaine, mais il est souhaitable que vous restiez très actif les journées où aucun entraînement n'est prévu, et ce, même les fins de semaine.

Pour stimuler la dégradation de la graisse, vous devez viser de maintenir votre fréquence cardiaque entre certaines valeurs. L'objectif est d'empêcher votre système de manquer d'oxygène et de brûler du glucose au lieu des lipides. La fréquence cardiaque à maintenir au cours du programme d'exercices est de 50 % à 60 % de [220 moins votre âge]. Par exemple, si vous avez 40 ans, vous soustrayez 40 de 220, ce qui donne 180; de 50 % à 60 % de 180 donne une intensité de 90 à 108 pulsations par minute. Commencez au taux le plus bas (50 %) et augmentez ce pourcentage à mesure que votre forme s'améliore.

Calcul de la fréquence cardiaque : Il existe deux méthodes pour calculer la fréquence cardiaque. La première est manuelle et la seconde exige un instrument qui mesure le pouls à intervalles réguliers.

1. *Méthode manuelle :* Vous pouvez prendre votre pouls à deux endroits sur votre corps, c'est-à-dire sur votre poignet ou dans votre cou.

- Sur la face interne de votre poignet, trouvez le tendon qui part de l'avant-bras et se rend jusqu'à la main. Puis à l'aide de l'index et du majeur de la main opposée, pressez le tendon à la base de la main et du côté du pouce. Vous devriez sentir votre pouls radial.

- Vous pouvez aussi sentir votre pouls sur l'artère carotide du cou. Placez l'index et le majeur juste sous la mâchoire (du même côté que votre main). Tâtez pour trouver un léger creux et maintenez la pression des doigts jusqu'à ce que vous sentiez votre pouls.
- Après avoir trouvé votre pouls à l'un ou l'autre de ces endroits, calculez le nombre de pulsations durant une minute. Vous connaissez maintenant votre fréquence cardiaque.

2. *Méthode mécanique :* Il existe dans le marché divers instruments qui mesurent automatiquement la fréquence cardiaque durant les séances d'exercices. Si vous avez les moyens de vous procurer un instrument de qualité, vous aurez là un outil pratique pour réussir à maintenir votre fréquence cardiaque à l'intérieur de la cible que vous vous êtes fixée. J'en recommande certaines marques à l'annexe I.

● ●

S'EXERCER SANS RISQUES

La guerre au gras n'est pas un manuel d'exercices; il vous offre plutôt un protocole à suivre pour réussir votre programme de perte de graisse. Vous devriez donc faire appel à un entraîneur compétent pour apprendre à exécuter les exercices contre résistance (avec les poids) de manière adéquate et sécuritaire. Si vous ne voulez pas suivre ce programme ou n'avez pas les moyens d'engager un entraîneur, je vous recommande de vous procurer un livre sur l'entraînement en résistance qui comporte des schémas faciles à comprendre pour chaque exercice. Un bon choix pourrait être l'ouvrage de Suzanne Schlosberg et Liz Neporent, *Weight Training for Dummies*.

Si vous souffrez de handicaps physiques, de douleurs articulaires ou musculaires chroniques ou si vous avez des étourdissements à un moment ou l'autre au cours des exercices, parlez-en à votre médecin avant de poursuivre l'entraînement. Si vous êtes sédentaire depuis un certain temps, il serait souhaitable que vous consultiez votre médecin avant de commencer le programme.

PREMIÈRE SEMAINE

La première semaine vous permet de vous habituer doucement à votre nouveau mode de vie. Si nécessaire, faites appel à un entraîneur compétent qui pourra vous montrer quels exercices d'étirement faire et comment bien les faire.

Du lundi au vendredi	
Échauffement	5 minutes de marche lente
Entraînement en résistance	Aucun
Aérobie	Faites une heure de marche chaque jour cette semaine (préférablement le matin à jeun). Lorsque vous marchez, prêtez attention à votre posture: gardez le menton élevé et le dos bien droit. Balancez vos bras. Activez tout votre corps. Respirez profondément, mais ne vous essoufflez pas; vous devriez être capable de maintenir une conversation.
Demi-redressements	3 séries de demi-redressements après chaque marche. Commencez avec des séries de 5 répétitions.
Récupération	10 minutes d'étirements

• •

DIRECTIVES POUR EXÉCUTER LES DEMI-REDRESSEMENTS CORRECTEMENT

- Étendez-vous sur le dos tout en pliant les genoux et en gardant les pieds au sol. Vos pieds devraient être à une distance de 10 po à 15 po de vos fesses.
- Croisez les bras sur la poitrine, allongez-les sur les côtés de votre corps ou croisez-les derrière la tête.
- Sans bouger le bas du corps, soulevez le torse vers les genoux jusqu'à ce que vos omoplates soient aussi loin du sol que possible. Ne soulevez que vos omoplates et non le bas du dos.
- Lorsque vous approchez du point où il vous faut arrêter, contractez vos abdominaux quelques instants.
- En redescendant lentement, revenez à la position de départ.

Mises en garde

- Ne donnez pas de secousses en faisant cet exercice. Servez-vous de vos abdominaux pour soulever lentement votre corps.
- Ne soulevez pas le bas du dos. Arrêtez lorsque vous sentez vos abdominaux se durcir. Gardez la position quelques instants.
- Prenez votre temps. Vous devez faire cet exercice très lentement et résister lorsque vous revenez à la position de départ.

DEUXIÈME SEMAINE

Ajoutez une série de huit exercices avec des poids les lundi, mercredi et vendredi de la deuxième semaine. Faites tous les exercices mentionnés avec des poids et haltères afin de stimuler le plus possible les contractions musculaires.

Suivez le nombre de répétitions recommandées. Lorsqu'on vous demande d'exécuter 20 répétitions par série, il est important que vous vous en teniez à ce nombre. Après la dix-neuvième répétition, vous devriez être à peine capable de faire la vingtième. Choisissez la charge vous permettant d'exécuter seulement le nombre de répétitions demandé. Lorsque vous vous sentez capable de faire plus de répétitions que le nombre demandé, il est temps d'augmenter la charge. Consultez un entraîneur, un livre sur l'entraînement avec des poids ou le site www.fatwars.com si vous ne savez trop comment choisir la charge appropriée.

Une fois la série de 20 répétitions terminée, prenez une minute de repos avant de passer à l'exercice suivant.

Lundi, mercredi et vendredi

	Exercices	Série	Répétitions
Échauffement	10 minutes de marche ou de vélo pour stimuler la circulation sanguine		
Entraînement en résistance			
	Flexion des cuisses avec haltères (cuisses)	1	20
	Soulevé de terre (arrière des cuisses)	1	20
	Développé-couché avec haltères (poitrine)	1	20
	Tirage horizontal avec un haltère (dos)	1	20
	Élévation latérale des bras avec haltères (épaules)	1	20
	Flexion des avant-bras avec haltères (biceps)	1	20
	Extension des avant-bras avec haltères (triceps)	1	20
	Extension du pied en position debout (mollets)	1	20
Aérobie	Marche de 30 minutes à votre fréquence cardiaque cible. Marchez à un rythme plus lent durant 5 minutes pour vous échauffer avant la marche et durant 5 minutes pour récupérer après.		
Demi-redressements	3 séries de 10 répétitions après la marche		
Récupération	10 minutes d'étirements		

Mardi et jeudi

Échauffement	5 minutes de marche lente
Entraînement en résistance	Aucun
Aérobie	De 30 à 60 minutes de marche
Demi-redressements	3 séries de 10 répétitions après la marche
Récupération	10 minutes d'étirements

TROISIÈME ET QUATRIÈME SEMAINES

Gardez la même charge pour les deux séries d'exercices de l'entraînement en résistance. Comme les muscles se fatigueront à faire les séries consécutivement, ne soyez pas surpris si vous avez de la difficulté à exécuter les 20 répétitions de la deuxième série. Faites-en le plus possible (essayez d'exécuter les 20 répétitions).

Lundi, mercredi et vendredi			
Échauffement	10 minutes de marche ou de vélo pour stimuler la circulation sanguine		
Entraînement en résistance	Exercices	Séries	Répétitions
	Flexion des cuisses avec haltères (cuisses)	2	20
	Soulevé de terre (arrière des cuisses)	2	20
	Développé-couché avec haltères (poitrine)	2	20
	Tirage horizontal avec un haltère (dos)	2	20
	Élévation latérale des bras avec haltères (épaules)	2	20
	Flexion des avant-bras avec haltères (biceps)	2	20
	Extension des avant-bras avec haltères (triceps)	2	20
	Extension du pied en position debout (mollets)	2	20
Aérobie	Marche de 30 minutes à votre fréquence cardiaque cible. Marchez à un rythme plus lent pour vous échauffer avant la marche et pour récupérer après.		
Demi-redressements	3 séries de 15 répétitions après la marche		
Récupération	10 minutes d'étirements		
Mardi et jeudi			
Échauffement	5 minutes de marche lente		
Entraînement en résistance	Aucun		
Aérobie	De 30 à 60 minutes de marche		
Demi-redressements	3 séries de 15 répétitions après la marche		
Récupération	10 minutes d'étirements		

CINQUIÈME SEMAINE

Le nombre de séries des exercices de l'entraînement en résistance passe de 2 à 3, et le nombre de répétitions, de 20 à 15. Donnez le maximum le lundi et le vendredi, mais diminuez l'intensité de l'entraînement du mercredi (c'est-à-dire réduisez les charges) tout en prenant le moins de repos possible entre chaque exercice (1 minute tout au plus). Même si vous réduisez quelque peu les charges le mercredi, maintenez le nombre de répétitions.

Faites toutefois les trois séries de chaque exercice avec la même charge. Comme les muscles se fatigueront à faire les séries consécutivement, ne soyez pas surpris si vous avez de la difficulté à exécuter les 15 répétitions de la deuxième et de la troisième série. Faites-en le plus possible (essayez d'exécuter les 15 répétitions).

Lundi, mercredi et vendredi			
Échauffement	10 minutes de marche ou de vélo pour stimuler la circulation sanguine		
Entraînement en résistance	Exercices	Séries	Répétitions
	Flexion des cuisses avec haltères (cuisses)	3	15
	Soulevé de terre (arrière des cuisses)	3	15
	Développé-couché avec haltères (poitrine)	3	15
	Tirage horizontal avec un haltère (dos)	3	15
	Élévation latérale des bras avec haltères (épaules)	3	15
	Flexion des avant-bras avec haltères (biceps)	3	15
	Extension des avant-bras avec haltères (triceps)	3	15
	Extension du pied en position debout (mollets)	3	15
Aérobie	Marche de 30 minutes à votre fréquence cardiaque cible. Marchez à un rythme plus lent pour vous échauffer avant la marche et pour récupérer après.		
Demi-redressements	3 séries de 20 répétitions après la marche		
Récupération	10 minutes d'étirements		

Mardi et jeudi	
Échauffement	5 minutes de marche lente
Entraînement en résistance	Aucun
Aérobie	De 30 à 60 minutes de marche
Demi-redressements	3 séries de 20 répétitions après la marche
Récupération	10 minutes d'étirements

DE LA SIXIÈME À LA NEUVIÈME SEMAINE

Maintenant que votre métabolisme s'est accéléré et que votre orga-nisme s'est adapté à l'entraînement en résistance du dernier mois, vous allez passer au programme en deux parties. Au lieu de répéter la même séance pour renforcer tous les groupes musculaires, vous ferez deux entraînements différents chaque semaine pour permettre à certains groupes musculaires de se reposer (de récupérer) pendant que d'autres travaillent. Au cours de ces quatre semaines, vous ferez le premier entraînement avec des poids les lundis et jeudis et le second entraînement les mardis et vendredis.

Vous exécuterez dorénavant deux types d'exercices, au lieu d'un seul, pour chaque groupe musculaire. Jusqu'à maintenant dans votre programme vous avez exécuté des exercices combinés, c'est-à-dire qu'un certain nom-bre de groupes musculaires ont été sollicités pour chaque exercice. Dorénavant, vous allez exécuter un exercice combiné et un exercice qui sol-licite seulement un muscle ou un groupe musculaire.

Vous exécuterez aussi des exercices avec des barres à disques. Pour chaque groupe musculaire, vous aurez cinq séries d'exercices à effectuer, soit trois séries du premier exercice puis deux séries du second exercice. Pour certains groupes musculaires moins volumineux, comme les bras, vous n'aurez que trois séries d'exercices à exécuter. Le nombre de répétitions par exercice variera entre 10 et 12. Vous pourrez ainsi travailler avec des charges plus élevées que précédemment et accroître davantage votre force et votre fonction musculaires ainsi que le volume de vos muscles.

Faites l'entraînement suivant au cours des quatre dernières semaines du programme de transformation.

Lundi et jeudi			
Échauffement	10 minutes de marche ou de vélo pour stimuler la circulation sanguine		
Entraînement en résistance	Exercices	Séries	Répétitions
	Flexion des cuisses à la barre (cuisses)	3	10-12
	Extension des jambes en position assise	2	10-12
	Soulevé de terre (arrière des cuisses)	3	10-12
	Flexion des jambes en position couchée	2	10-12
	Élévation latérale des avant-bras (épaules)	3	10-12
	Extension du pied (mollets)	3	10-12
Aérobie	Marche de 20 minutes à votre fréquence cardiaque cible. Marchez à un rythme plus lent pour vous échauffer avant la marche et pour récupérer après.		
Demi-redressements	3 séries de 25 répétitions après la marche		
Récupération	10 minutes d'étirements		
Mardi et vendredi			
Échauffement	10 minutes de marche ou de vélo pour stimuler la circulation sanguine		
Entraînement en résistance	Exercices	Séries	Répétitions
	Développé-couché avec haltères	3	10-12
	Développé-incliné avec haltères	2	10-12
	Tirage horizontal à la barre	3	10-12
	Tirage-poitrine à la poulie haute	2	10-12
	Flexion des avant-bras à la barre en position debout (biceps)	3	10-12
	Extension des avant-bras à la barre (triceps)	3	10-12

Aérobie	Marche de 20 minutes à votre fréquence cardiaque cible. Marchez à un rythme plus lent pour vous échauffer avant la marche et pour récupérer après.
Demi-redressements	3 séries de 25 répétitions après la marche
Récupération	10 minutes d'étirements
Mercredi	
Échauffement	5 minutes de marche lente
Entraînement en résistance	Aucun
Aérobie	De 30 à 60 minutes de marche
Demi-redressements	3 séries de 25 répétitions après la marche
Récupération	10 minutes d'étirements

APRÈS LA PÉRIODE DE TRANSFORMATION EN 45 JOURS

Si vous suivez les conseils de cette section, vous atteindrez votre objectif et gagnerez votre guerre contre le gras. À la fin de la période de transformation en 45 jours, votre nouvelle vie ne fera que débuter. Tout le programme proposé est fondé sur une approche scientifique qui vise à améliorer progressivement la résistance grâce à la philosophie de la périodisation de l'entraînement. La périodisation consiste en trois cycles de quatre mois de différents programmes à exécuter chaque année. Ce type d'entraînement permet une amélioration constante et est utilisé avec succès en athlétisme.

● ●

LA PÉRIODISATION

La périodisation fait référence à tout programme d'entraînement dans lequel divers aspects de l'entraînement sont modifiés à intervalles réguliers, comme le nombre de répétitions des séries d'exercices, le type d'exercices exécutés, les charges utilisées et le temps de récupération entre les séries d'exercices. Il a été prouvé scientifiquement que cette méthode assurait des améliorations constantes et évitait d'atteindre un plateau où tout progrès semble impossible.

La périodisation consiste en des cycles où alternent tout au long de l'année entraînement intensif et entraînement moins intensif afin de réduire les longs intervalles de stress subis par l'organisme. Avec un entraînement traditionnel, les gens accumulent du stress qui peut avoir des effets néfastes. S'ils alternent les périodes d'entraînement intensif et peu intensif, leurs muscles sont mis à moins rude épreuve et ils risquent moins d'atteindre un plateau. Un programme de périodisation typique consiste en trois cycles de quatre mois. Chaque mois, les règles de l'entraînement sont modifiées. Par exemple :

• Le premier mois, il faudrait exécuter jusqu'à 20 répétitions par série mais seulement une ou deux séries de chaque exercice ; les charges seraient relativement peu élevées (faible intensité).

• Le deuxième mois, le nombre de répétitions pourrait être réduit à 12 à 15 par série, il pourrait y avoir 2 ou 3 séries par exercice, et les charges pourraient être légèrement plus élevées (intensité plus grande).

• Au troisième mois, le nombre de répétitions tomberait à 8 à 10 par série, le nombre de séries s'élèverait à 3 ou 4 par exercice, ce qui permettrait de soulever des charges assez élevées afin d'augmenter la force et le volume musculaires (forte intensité).

• Le quatrième et dernier mois serait le plus intensif : il y aurait de 4 à 6 répétitions par série, de 3 à 5 séries par exercice, et les charges seraient très élevées pour accroître davantage la force des fibres musculaires.

Après le quatrième mois, il faut revenir à l'entraînement du premier mois pour permettre une récupération maximale après les efforts exigés par l'entraînement le plus intensif. Une année comporte trois cycles de ce genre. Bien sûr, cet exemple ne donne qu'une idée générale de la périodisation, mais il vous permet d'en comprendre les principes. Pour obtenir de plus amples détails sur cette forme d'entraînement, veuillez lire *Periodization Breakthrough* écrit par le Dr Steven Fleck et le Dr William Kraemer.

L'entraînement présenté dans le programme de transformation en 45 jours de *La guerre au gras* correspond à deux cycles de quatre semaines. L'objectif du programme de transformation est d'accroître le volume musculaire et de stimuler la combustion de la graisse. L'objectif de base de chaque cycle est de passer du volume élevé (nombre élevé de répétitions et de séries) de faible intensité (charges faibles) des deux premiers cycles au faible volume (nombre peu élevé de répétitions et de séries) de forte intensité (charges fortes) des deux derniers cycles. Vous poursuivrez vous-même le programme (et je sais que vous le ferez) en choisissant pour les deux derniers cycles un programme d'entraînement bien conçu qui permet progressivement de diminuer le nombre de répétitions des exercices et d'augmenter les charges utilisées (veuillez consulter un bon manuel d'entraînement ou un entraîneur compétent qui connaît la périodisation). Les activités cardiovasculaires doivent être constantes tout au long des différents cycles. De cette façon, vous progresserez continuellement et éviterez les plateaux.

● ●

LA CRÉATINE MONOHYDRATÉE, UN SUPPLÉMENT AUX EXERCICES

Lorsque vous entreprenez votre programme d'exercices, vous pouvez prendre de la créatine, un supplément qui pourra vous aider si vous avez de la difficulté à vous adapter aux exercices avec les poids ou si vous désirez améliorer l'efficacité de la récupération entre les séances d'entraînement.

La créatine est une substance importante de l'énergétique des cellules ; elle se combine aux phosphates pour former la phosphocréatine (PC). La PC fournit le phosphate à potentiel énergétique élevé nécessaire à la synthèse de l'adénosine triphosphate (ATP), un des plus importants transporteurs d'énergie de la cellule. De nombreuses études ont montré que la créatine augmentait la puissance musculaire chez les athlètes qui doivent développer leur force et leur rapidité, comme les joueurs de football, les sprinters et les haltérophiles. Des recherches ont aussi démontré que la créatine a des effets anabolisants marqués puisqu'elle stimule la synthèse des protéines dans les muscles qui sont exercés.

La créatine peut accroître la perte de graisse si elle est combinée à un entraînement en résistance approprié. La créatine aide les muscles à travailler plus fort et à récupérer plus rapidement en fournissant l'énergie nécessaire et en stimulant la croissance du tissu musculaire.

Dans de nombreuses études, on a fait prendre aux participants 5 g de créatine 4 ou 5 fois par jour pour une période de 5 à 7 jours. Des recherches récentes ont démontré qu'il n'était pas nécessaire d'ingérer autant de créatine ni d'avoir une période de charge aussi longue.

Une dose de 5 g de créatine 3 fois par jour durant 3 ou 4 jours suffit pour commencer et assure la charge nécessaire pour saturer les muscles. Après cette période, la dose est réduite à 5 g par jour, qu'il faut habituellement prendre après la séance d'exercices.

Il n'est pas obligatoire d'accumuler une charge de créatine. Vous pouvez très bien en prendre 4 g ou 5 g par jour durant plusieurs semaines. Vous obtiendrez de bons résultats, et vos muscles récupéreront et croîtront même encore plus rapidement, pendant que s'accélérera la synthèse des protéines intracellulaires. La créatine monohydratée est la forme la plus courante et la moins coûteuse de créatine. Après les deux premières semaines d'utilisation de ce produit, vous verrez peut-être votre poids augmenter légèrement. En effet, la créatine fait gonfler d'eau les cellules, mais ne vous en faites pas, car ce phénomène est temporaire et stimule l'activité anabolisante des cellules. La créatine est sans danger et on ne rapporte aucun effet indésirable consécutif à son utilisation à long terme, même à des doses plus élevées que les doses recommandées. Elle est mieux absorbée si elle est combinée à une boisson énergisante que l'on consomme après l'entraînement (voir le chapitre 11).

La créatine est particulièrement efficace si elle est combinée à la glutamine et à la taurine, deux acides aminés. Vous pouvez acheter de la créatine en poudre à l'état pur ou bien combinée à d'autres nutriments dans une boisson en poudre. D'une façon ou d'une autre, une dose de 2 g à 5 g par jour prise après l'entraînement devrait donner les résultats attendus.

LES 5 MOYENS D'ATTEINDRE VOTRE OBJECTIF DE PERTE DE TISSU ADIPEUX

1. Visualisez votre objectif

Pour atteindre votre objectif, vous devez y croire et pour y croire vous devez d'abord visualiser cet objectif.

- Visualisez votre objectif dans ses moindres détails. Imaginez-vous avec votre nouvelle silhouette et votre nouveau mode de vie. De quoi avez-vous l'air? Que ressentez-vous? Comment les gens de votre entourage réagissent-ils? Vous sentez-vous plus sûr de vous? Avez-vous beaucoup d'énergie? Peu importe l'apparence que vous désirez avoir, imaginez-la comme si c'était chose faite.
- Prenez une photo de vous en maillot de bain. Placez-la à un endroit où vous pourrez la voir souvent. Rien ne motive davantage que de voir de quoi nous avions l'air avant d'entreprendre notre programme. Lorsque vous vous sentez sur le point d'abandonner, regardez la photo et visualisez votre nouvelle silhouette.
- Croyez-y. Il s'agit de jouer le jeu, c'est-à-dire d'agir comme la personne que vous voulez devenir. Peu importe ce qui arrive entre aujourd'hui et le moment où vous aurez atteint votre objectif, dans votre esprit cet objectif est déjà atteint. De cette façon, vous avez déjà accepté la nouvelle personne que vous allez devenir.

2. Mettez votre objectif sur papier

Soyez précis mais réaliste en ce qui concerne le temps requis pour atteindre votre objectif. Par exemple, si votre pourcentage de masse adipeuse s'élève à 40% et que votre objectif est de réduire ce pourcentage à 24%, ne vous attendez pas à y parvenir en un mois. Remarquez que votre cible n'est pas une perte de poids en livres, puisque la personne mince que vous serez devenue verra sa masse musculaire augmenter.

Soyez honnête avec vous-même pour ne pas vous placer en situation d'échec. Donnez-vous un échéancier raisonnable pour atteindre votre objectif et notez-le: les trois premières semaines, les trois semaines suivantes, etc. Votre objectif pour les trois premières semaines pourrait être de vous adapter à votre nouvelle routine; après six semaines, ce serait d'avoir perdu de 3% à 4% de masse adipeuse. Notez les dates précises après trois, six ou neuf semaines. N'écrivez pas simplement «dans trois semaines».

Inscrivez les raisons pour lesquelles vous voulez atteindre cet objectif. Par exemple: «Je veux avoir perdu de 3 % à 4 % de masse adipeuse le 30 novembre parce que je pars pour Hawaï et que je veux bien paraître. Je veux aussi perdre cette graisse parce que je sais que je me sentirai mieux dans ma peau et que j'aurai plus d'énergie pour profiter du voyage. Lorsque je me sentirai mieux, je pourrai travailler à rester en santé comme je l'ai toujours voulu. Ma santé est ce qui importe le plus pour moi. Perdre tant de poids n'est que le début de ma nouvelle vie.» Il est toujours important de noter nos objectifs avec le plus de précision possible.

Une fois que vous vous êtes dit ce que vous vouliez faire et pourquoi, informez-en votre entourage. Faites preuve de sincérité à cette étape; si vous lancez à la blague «Tu ne me reconnaîtras pas l'été prochain», vous ne vous prendrez pas au sérieux vous-même. Soyez convaincant. Croyez-moi, la pression que vous exercez sur vous-même en informant vos amis de vos objectifs est gage de succès. Ne craignez pas de leur demander leur appui. Et soyez assuré qu'ils seront les premiers à vous avertir si vous ne suivez pas votre plan à la lettre.

3. Notez comment vous allez vous y prendre pour atteindre votre objectif

Pour suivre votre programme de transformation en 45 jours, vous aurez certains changements à effectuer. Soyez réaliste; vous avez pris avec le temps – n'ayons pas peur de mots – certaines mauvaises habitudes que vous devrez perdre. Par exemple, pensez à toutes ces soirées à veiller trop tard, alors que vous avez tant de sommeil à récupérer. Ce seul changement (vous coucher plus tôt) vous permettra de vous lever une heure plus tôt chaque matin et de faire une séance d'exercices énergisante.

Vous devrez aussi évaluer votre alimentation, planifier les changements qui vous permettront de brûler de la graisse et éliminer bien des «gâteries» (vous savez lesquelles). Notez tous les changements que vous devrez effectuer pour réussir votre programme. Si vous n'avez jamais accompli cet effort auparavant, les changements sembleront draconiens, mais pensez qu'ils feront de vous une nouvelle personne. Si vous avez déjà suivi des dizaines de régimes et faites de l'exercice, vous n'aurez que de petits ajustements à apporter à vos habitudes. Rappelez-vous qu'au bout de ces 45 jours, vous vous sentirez si bien que personne n'aura à vous pousser dans le dos pour continuer.

4. Tenez un journal de vos progrès

Il est temps de prendre votre succès en main. Éliminez toutes les incertitudes que pourraient comporter votre programme d'entraînement et votre régime alimentaire en notant avec exactitude dans un cahier les exercices effectués et la nourriture consommée chaque jour. La plupart des personnes qui ne réussissent pas à atteindre leurs objectifs de perte de graisse ont tenté de suivre leur programme de manière intuitive. Pour gagner votre propre guerre contre le gras, vous devez planifier et organiser votre programme, établir des priorités (la personne que vous voulez devenir) et avoir la volonté de prendre le temps de noter les changements effectués (ou l'incapacité à les faire).

Si vous êtes prêt à noter dans un cahier les activités physiques effectuées et les aliments consommés, vous aurez alors un rapport précis des éléments les plus efficaces pour vous et des changements qui sont réellement survenus. Vous pouvez vous servir des tableaux présentés dans ces pages pour débuter. Un journal d'entraînement vous aidera à :

- constater vos progrès d'une séance à l'autre ;
- savoir combien de répétitions vous avez effectuées et quelles charges vous avez utilisées pour chaque séance ;
- dresser une liste précise du programme ou des exercices qui fonctionnent le mieux pour vous ;
- dresser une liste précise du programme ou des exercices qui fonctionnent le moins bien pour vous ;
- savoir quand passer d'un cycle d'entraînement à l'autre.

Un journal alimentaire vous permettra :

- de savoir combien de calories vous consommez ;
- de connaître avec précision le nombre de calories qui répond le mieux à vos besoins ;
- de vous assurer que vous consommez la ration adéquate de macronutriments ;
- de savoir quand ajuster votre consommation d'aliments.

Journal d'entraînement Semaine du:				
Échauffement				
Entraînement en résistance	Exercices	Séries	Charges	Répétitions
Aérobie				
Demi-redressements				
Récupération				
Commentaires				
Dates des séances				

● ●

Consultez le site www.fatwars.com <http://www.fatwars.com> pour trouver les mises à jour sur les types de repas stimulant la combustion de la graisse, des recettes de boissons protéiques énergisantes, des programmes d'exercices, des suppléments et les résultats de recherches d'avant-garde sur la perte de graisse. Ce site d'information met à votre disposition les armes dont vous continuerez d'avoir besoin pour gagner toutes les batailles de la guerre au gras.

Journal alimentaire quotidien	Semaine du :					
Repas/heure	Aliments	Portions	Protéines	Glucides	Lipides	Calories
	Total					

Commentaires

5. Prenez la responsabilité d'atteindre votre objectif tout en faisant preuve de patience

Ne paniquez pas si vous perdez une ou deux batailles. Personne n'est parfait. La plupart des gens, moi y compris, travaillent de longues heures et ont peu de temps à perdre. L'idée est de tenir à l'œil la cible à atteindre, soit la perte permanente de graisse. Quelques gaffes auront peu d'effets sur l'ensemble du programme.

Rappelez-vous que vous ne pouvez mettre fin du jour au lendemain aux mauvaises habitudes de toute une vie, ni même les modifier légèrement en si peu de temps. Mais comme nous l'avons illustré avec l'exemple de la pierre et du sable, un grain de sable par jour finit par faire bouger la pierre. Si vous n'avez pas atteint les résultats espérés dans le laps de temps (raisonnable) que vous aviez établi, examinez attentivement votre journal d'entraînement et votre journal alimentaire. Faites-vous le maximum pour atteindre votre objectif ? Pouvez-vous aller plus loin ? Rappelez-vous que, si vous consommez trop de calories de quelque forme que ce soit, elles se transformeront en graisse. Si vous ne faites jamais fonctionner votre « moteur », le combustible emmagasiné ne brûlera pas tout seul. Faites tout ce que vous pouvez pour vous garder sur la bonne voie. Imaginez-vous en train d'examiner votre nouvelle silhouette dans un miroir et d'apprécier chaque journée où vous aurez plein d'énergie. Comment vous sentirez-vous?

Félicitations! Vous êtes sur la bonne voie pour devenir une personne plus en santé, plus heureuse et plus mince. Il est temps de gagner la guerre contre le gras!

Comment mesurer la

masse adipeuse

La relation entre la masse adipeuse et la masse maigre, *et non le poids*, est la meilleure façon de savoir si une personne est mince ou non; c'est pourquoi il importe de pouvoir mesurer avec exactitude le pourcentage de masse adipeuse. Il est donc essentiel que les professionnels de la santé, de la forme physique et de l'entraînement puissent analyser la masse corporelle. Cette annexe décrit diverses méthodes permettant de déterminer la composition de l'organisme ainsi que les avantages et inconvénients de chacune.

LES MÉTHODES INDIRECTES

Ces méthodes déterminent le pourcentage de masse adipeuse en mesurant d'autres éléments comme l'eau corporelle et l'épaisseur du pli cutané. Toutes ces méthodes font appel à un certain nombre d'hypothèses.

La densitométrie

Le poids d'un corps immergé est la première méthode pratique servant à déterminer la masse adipeuse. Cette méthode est basée sur plusieurs hypothèses fondamentales.

- Première hypothèse: L'organisme humain est constitué de deux parties, la masse adipeuse et la masse musculaire maigre.
- Deuxième hypothèse: Le poids du tissu adipeux correspond à 90% de son équivalent en eau. Le poids de la portion maigre de l'organisme équivaut à 110% d'une masse équivalente d'eau.

- Troisième hypothèse : L'organisme de toutes les personnes à qui on a fait passer ce test contiendrait le même pourcentage d'eau (degré d'hydratation).
- Quatrième hypothèse : La relation entre la quantité de tissu osseux et la quantité de tissu musculaire est constante d'une personne à une autre.

On reconnaît généralement que l'exactitude du poids d'un corps immergé est de plus ou moins 3 % avec une précision de 2 % à 3 %. « L'exactitude » porte sur la relation statistique entre les résultats que donneraient deux instruments différents du poids d'un corps immergé. La « précision », qu'on nomme aussi « reproductibilité » ou « fiabilité des résultats », fait référence à la différence qui peut exister entre deux mesures prises du poids d'une personne avec le même instrument.

Pour calculer le poids d'un corps immergé, il faut utiliser un réservoir d'eau spécial, où l'eau est maintenue à une température constante et filtrée avec soin. On pèse d'abord le sujet hors de l'eau, puis il entre dans l'eau et on reprend son poids lorsque sa tête est complètement immergée. L'exactitude des résultats dépend de la taille du réservoir et de la capacité du sujet à expirer tout l'air de ses poumons pendant qu'il est sous l'eau.

Il est évident que la technique de calcul du poids d'un corps immergé comporte de grandes limites. Cependant, la plupart des experts la considèrent comme « l'étalon-or » et comme la méthode officielle pour mesurer la masse adipeuse.

Les pinces d'adiposité

Les pinces d'adiposité constituent une méthode peu coûteuse pour mesurer la masse adipeuse. Cette méthode consiste à mesurer le pli cutané à différents endroits sur le corps. Les données fournies par les pinces d'adiposité dépendent de deux hypothèses :

- *Première hypothèse :* Le tissu adipeux sous-cutané équivaut à 50 % de la masse adipeuse totale de l'organisme. Cette hypothèse se vérifie davantage chez les jeunes adultes que chez les personnes plus âgées.

- *Deuxième hypothèse :* Les différents endroits sur le corps où est mesuré le pli cutané représentent l'épaisseur moyenne de tout le tissu adipeux sous-cutané.

Aucune de ces hypothèses n'a été prouvée. Par ailleurs, cette méthode dépend du jugement et de la compétence de la personne qui effectue les mesures. Celles-ci sont souvent inexactes : l'inexactitude peut être jusqu'à trois fois plus élevée que la mesure d'un poids immergé (donc une exactitude de plus ou moins 9 %).

Le plus grand problème des pinces d'adiposité porte sans doute sur la reproductibilité des résultats : même une personne bien formée peut avoir de la difficulté à obtenir des résultats identiques après avoir refait le test avec les mêmes personnes. L'imprécision des mesures est la raison pour laquelle les pinces d'adiposité constituent une méthode peu efficace pour fournir de l'information significative aux personnes suivant un régime alimentaire ou un programme d'entraînement.

L'impédance bioélectrique

Voilà une méthode assez nouvelle : un courant électrique de haute fréquence et de basse tension traverse le corps d'une personne confortablement étendue à qui on a fixé des électrodes aux doigts et aux chevilles. Le courant électrique pénètre dans les fluides intra et extracellulaires et fournit une mesure exacte de la quantité d'eau corporelle. Par conséquent, si l'on suppose que l'organisme est en «équilibre», on peut à l'aide de cette méthode calculer avec exactitude le pourcentage de masse adipeuse.

Pour démontrer l'hypothèse selon laquelle l'organisme est en «équilibre» et que la quantité de graisse de l'organisme est en relation exacte avec la quantité d'eau de ce même organisme, il faut suivre un protocole strict. Ainsi, le sujet doit avoir jeûné durant une assez longue période avant l'exécution du test, avoir uriné dans les 30 minutes précédant le test et s'être abstenu de toute activité physique au moins 2 heures avant le test.

Pourvu que le protocole soit suivi à la lettre, l'exactitude de l'impédance bioélectrique peut équivaloir à celle du poids d'un corps immergé. Mais il arrive souvent que le protocole ne soit pas bien suivi; les résultats seront alors inexacts. Ils peuvent aussi être inexacts chez la femme enceinte et la femme qui a ses règles. On ne peut l'effectuer chez les personnes souffrant d'asthme cardiaque, surtout celles qui portent un stimulateur cardiaque.

D'autres méthodes

Il existe de nombreuses autres méthodes, comme l'utilisation de traceurs radioactifs, pour déterminer la quantité totale d'eau corporelle. Toutefois, toutes ces méthodes sont compliquées et doivent être réalisées en laboratoire et en présence d'une équipe médicale.

LES MÉTHODES DIRECTES

Certaines méthodes permettent de mesurer directement la masse adipeuse sans faire de calculs à partir d'autres éléments.

La technique de l'infrarouge proche (Futrex)

Cette méthode est approuvée par le Department of Agriculture des États-Unis et sert à mesurer le contenu en matières grasses de la viande. Elle est fondée sur le fait que des substances organiques différentes absorbent différemment la lumière infrarouge proche. Ainsi, le tissu adipeux absorbe ce type de lumière alors que le tissu maigre la réfléchit. Un capteur spécial mesure la quantité de lumière réfléchie et transmet cette donnée à un ordinateur qui possède déjà certaines informations comme le poids du sujet, sa taille, son type d'ossature, etc. À partir de toutes ces données, l'ordinateur détermine le pourcentage de masse adipeuse. Comme ce pourcentage est calculé directement, les variables comme l'eau corporelle n'influent aucunement sur l'exactitude des résultats.

Futrex recommande de mesurer la masse adipeuse à un seul endroit, soit au centre du biceps du bras dominant. Des études indépendantes ont montré que la mesure prise à un seul endroit donne une exactitude de plus ou moins 2,8 %, ce qui est bien à l'intérieur des limites de l'exactitude du poids d'un corps immergé. En raison de son exactitude et de sa facilité d'utilisation exceptionnelles, cette méthode est des plus avantageuses. Voici l'adresse du site Futrex : www.futrex.com

L'absorptiométrie biénergétique à rayons X

Voilà sans doute la méthode la plus exacte qui soit pour mesurer la masse adipeuse, la masse maigre et la densité osseuse. Cependant, la technique (le passage de rayons X dans les tissus) doit, pour être approuvée, être effectuée en milieu médical. De plus, le coût (environ 60000 $ US) de l'appareil nécessaire en fait une méthode inabordable.

L'extraction

Cette méthode consiste à extraire les matières grasses d'un tissu de culture et à le mesurer à l'aide d'un solvant des matières grasses (comme l'éther). Bien que cette méthode soit très exacte en ce qui a trait à la viande de hamburger (marge de 0,1 %), elle est impraticable sur des sujets humains (il est très difficile d'avoir des volontaires !).

Les suppléments de
La guerre au gras

RECOMMANDATIONS

Tout au long de ce livre, je vous ai recommandé divers suppléments et autres produits. Les pages qui suivent vous donneront des suggestions précises. La compagnie ehn Inc., qui distribue les produits primés greens+, commercialise certains de ces suppléments. Je les recommande sans crainte depuis nombre d'années, car je crois qu'ils sont parmi les meilleurs de l'industrie. Au début de l'année dernière, j'ai accepté de me joindre à l'équipe de greens+ afin de créer des produits d'avant-garde, comme transform+, proteins+, et lean+. Je ne suis aucunement associé à d'autres fabricants.

Après avoir passé de nombreuses années dans l'industrie des produits de santé, j'en suis venu à me rendre compte qu'il existe très peu de fabricants respectables et dignes de confiance. À ma connaissance, les produits que je vous recommande sont donc parmi les meilleurs de l'industrie.

Les isolats de protéines de lactosérum (proteins+ et transform+)

AlphaPure^{MD} résulte d'un procédé d'isolement breveté de la protéine de lactosérum qui en fait l'isolat ayant la plus haute valeur biologique de toutes les protéines actuellement sur le marché. AlphaPure^{MD} contient 2,5 fois plus de cystéine que les autres isolats de protéines de lactosérum et il constitue une source excellente et inégalée pour la formation de glutathion naturel.

AlphaPure^MD contient trois fois plus de tryptophane que les autres isolats de protéines de lactosérum. Le tryptophane est un acide aminé qui sert à la synthèse de la sérotonine, un neurotransmetteur. Des recherches approfondies effectuées au cours des 40 dernières années ont permis d'établir que la sérotonine a des répercussions sur l'insomnie, la sensibilité à la douleur, l'anxiété et la dépression. Il a aussi été démontré que la sérotonine a des qualités anorexigènes.

AlphaPure^MD contient plus de glycomacropeptides (GMP) que n'importe quel autre isolat de protéines de lactosérum. Les GMP stimulent fortement la libération d'une hormone appelée cholécystokinine (CCK), qui joue de nombreux rôles essentiels dans le système gastro-intestinal. La CCK stimule la libération d'enzymes pancréatiques, incite la vésicule biliaire à se contracter et accélère le transit intestinal. Une des actions les plus incroyables de la CCK concerne son aptitude à réguler l'ingestion d'aliments en envoyant des signes de satiété au cerveau, ce qui pourrait constituer un aspect intéressant pour les personnes au régime. Dans les études faites avec des animaux, on a constaté qu'une augmentation de la concentration de CCK était toujours suivie d'une diminution importante de l'ingestion d'aliments. Les études menées chez les humains ont montré que les GMP des protéines de lactosérum faisaient augmenter la production de CCK de 415 % dans les 20 minutes suivant leur ingestion.

AlphaPure^MD est une marque déposée de :
Protein Fractionations Inc.
1146 Castlefield Ave.
Toronto (Ontario) M6B 1E9
Tél.: (416) 783-8315
Téléc.: (416) 783-7589

AlphaPure^MD est distribué excusivement au Canada par ehn Inc.
ehn Inc. (Greens+ Canada)
317 Adelaide Street West, suite 501
Toronto (Ontario) M5V 1P9
Tél: (416) 977-3505
Sans frais: 1 877 500-7888
Téléc.: (416) 977-4184
Site Web: www.greenspluscanada.com

Les isolats de protéines de soja

Cherchez les isolats de protéines de soja sans OMG de marque Supro^{MD}. Les protéines de soja de ce produit ont la plus haute valeur biologique de toutes les protéines ayant subi une extraction à l'eau que l'on puisse trouver sur le marché actuellement. Leur valeur biologique est de 100, soit la même que l'œuf. Le produit transform+ n'utilise comme source de protéines que les isolats de protéines de soja sans OMG de marque Supro^{MD}.

Note : La protéine de soja constitue une très bonne source de tryptophane (dont on parlé ci-dessus) et d'acides aminés à chaîne ramifiée permettant la formation des muscles.

Supro^{MD} est une marque déposée de :
Protein Technologies International
P.O. Box 88940
St. Louis, Missouri 63188
Sans frais : Services aux consommateurs : 1 877 769-4432
Services aux entreprises et à la clientèle : 1 800 325-7108
Téléc. : (314) 982-2461

Fabricants et distributeurs d'acides gras essentiels

Huile Omega Balance et huile de lin
Au Canada :
Omega Nutrition Canada Inc.
1924 Franklin Street
Vancouver (Colombie-Britannique) V5L 1R2
Tél. : (604) 253-4677
Sans frais : 1 800 661-3529
Téléc. : (604) 253-4893
Site Web : www.omegaflo.com

Aux États-Unis :
Omega Nutrition U.S.A. Inc.
6515 Aldrich Road
Bellingham, Washington 98226
Tél. : (360) 384-1328
Sans frais : 1 800 661-3529
Téléc. : (360) 384-0700
Site Web : www.omegaflo.com

Huile Udo's Choice et huile de lin
Au Canada:
Flora Distributors Ltd.
7400 Fraser Park Drive
Burnaby (Colombie-Britannique) V5J 5B9
Sans frais: 1 800 663-0617
Téléc.: (604) 436-6060
Site Web: www.florahealth.com

Aux États-Unis:
Flora Distributors Ltd.
P.O. Box 73
805 Badger Road East
Lynden, Washington 98264
Sans frais: 1 800 446-2110
Téléc.: (360) 354-5355
Site Web: www.florahealth.com

Huiles Bioriginal
Au Canada:
Bioriginal Food & Science Corp.
102 Melville Street
Saskatoon (Saskatchewan) S7J 0R1
Tél.: (306) 975-9268
Téléc.: (306) 242-3829

**Huiles de poisson, acide eicosapentanoïque
et acide docasahexanoïque**
Au Canada:
Ocean Nutrition Canada Ltd.
747 Bedford Highway
Bedford (Nouvelle-Écosse) V4A 2Z7 Tél.: (902) 457-2399
Sans frais: 1 800 980-8889
Téléc.: (902) 457-2357
Site Web: www.ocean-nutrition.com

Huile d'onagre
Au Canada :
Efamol Canada (1998) Ltd.
Scotia Centre
35 Webster Street
Kentville (Nouvelle-Écosse) B4N 1H4
Sans frais : 1 800 539-3326
Téléc. : (902) 678-2885
Site Web : www.efamol.com

Flora Distributors Ltd.
7400 Fraser Park Drive
Burnaby (Colombie-Britannique) V5J 5B9
Sans frais : 1 800 663-0617
Téléc. : (604) 436-6060
Site Web : www.florahealth.com

Purity Professionals (distributeur de produits professionnels)
Division de Purity Life Health Products
2975 Lake City Way
Burnaby (Colombie-Britannique) V5A 2Z6
Sans frais : 1 888 443-3323
Téléc. : 1 888-223-6111
Courriel : professional@puritylife.com

Les concentrés d'aliments verts
Les concentrés d'aliments verts ne sont pas tous de qualité équivalente. Cherchez des poudres qui contiennent une vaste gamme de produits et d'herbes biologiques naturels. Je recommande la formule primée greens+.

Au Canada :
ehn Inc. (Greens+ Canada)
317 Adelaide Street West, suite 501
Toronto (Notario) M5V 1P9
Tél : (416) 977-3505
Sans frais : 1 877 500-7888
Téléc. : (416) 977-4184
Site Web : www.greenspluscanada.com

Aux États-Unis:
Orange Peel Enterprises, Inc.
2183 Ponce de Leon Circle
Vero Beach, Floride 32960
Sans frais: 1 800 (643) 1210
Site Web: www.greensplus.com

Green Foods Corporation
320 North Graves Avenue
Oxnard, Californie 93030
Tél.: (805) 983-7470
Sans frais: 1 800 777-4430
Site Web: www.greenfoods.com

Vitamines, minéraux, antioxydants et flavonoïdes

Essayez de trouver des formules qui contiennent la plus grande combinaison possible du «réseau d'antioxydants» dont nous avons parlé, soit les vitamines C et E, l'acide lipoïque, la CoQ10 ainsi que les extraits de raisin et un mélange de caroténoïdes. Je suis actuellement à mettre au point une formule pour la compagnie Greens+; vous la trouverez bientôt dans le marché. *Les extraits de raisin à spectre complet:* la qualité des produits offerts sur le marché varie grandement; il vous faut donc faire des choix avisés. Les formules d'extraits de raisin à spectre complet de qualité devraient contenir du resvératrol et de l'acide ellagique. Le produit que je préfère s'appelle grapes+ et il contient les éléments mentionnés ci-dessus.

Note: la meilleure façon d'augmenter la concentration de glutathion dans l'organisme consiste à prendre de l'acide lipoïque (ou la protéine AlphaPure[MD] contenue dans proteins+ et transform+).

Au Canada (à venir sous peu: la formule suprême d'antioxydants)
ehn Inc. (Greens+ Canada)
317 Adelaide Street West, suite 501
Toronto (Notario) M5V 1P9
Tél: (416) 977-3505
Sans frais: 1 877 500-7888
Téléc.: (416) 977-4184
Site Web: www.greenspluscanada.com

Les produits Natures Secret, Natrol, Twin Lab's et d'autres produits de qualité distribués par Purity Life

Purity Life
6 Commerce Crescent
Acton (Ontario) L7J 2X3
Tél.: (519) 853-3511
Sans frais: 1 800 265-2615
Téléc.: (519) 853-4660
Courriel: info@puritylife.com

Purity Professionals (distributeur de produits nutritionnels professionnels)
Division de Purity Life Health Products
2975 Lake City Way
Burnaby (Colombie-Britannique) V5A 2Z6
Sans frais: 1 888 443-3323
Téléc.: 1 888-223-6111
Courriel: professional@puritylife.com

Produits et préparations à base d'herbes médicinales
Le chardon-Marie

En général, les extraits de chardon-Marie normalisés contiennent au moins 75 % de silymarine. Avec une proportion de ce genre, une dose de 50 mg à 100 mg deux ou trois fois par jour stimulera réellement l'activité des cellules hépatiques et mènera votre armée à la victoire contre le gras. Une des formules les plus efficaces pour stimuler la fonction hépatique s'appelle livtone[MC] et est commercialisée au Canada par:

ehn Inc. (Greens+ Canada)
317 Adelaide Street West, suite 501
Toronto (Ontario) M5V 1P9
Tél.: (416) 977-3505
Sans frais: 1 877 500-7888
Téléc.: (416) 977-4184
Site Web: www.greenspluscanada.com

Produits et préparations à base d'herbes médicinales recommandées au États-Unis:

Nature's Herbs
600 East Quality Drive
American fork, Utah 84003
Sans frais: 1 800 437-2257
Téléc.: (801) 763-0789
Site Web: www.twinlab.com

La carnitine

La L-carnitine est actuellement un produit réglementé au Canada. Cependant le colostrum en contient une concentration élevée, et une manière intéressante d'augmenter la concentration de carnitine dans l'organisme pourrait consister à prendre des suppléments de colostrum bovin.

Au Canada:
Symbiotics ColostrumMC, distribué par:
Purity Life
6 Commerce Crescent
Acton (Ontario) L7J 2X3
Tél.: (519) 853-3511
Sans frais: 1 800 265-2615
Téléc.: (519) 853-4660
Courriel: info@puritylife.com

Smarte Brand Laboratories Ltd.
610F – 70 Avenue SE
Calgary (Alberta) T7H 2J6
Tél.: (403) 252-7150
Téléc.: (403) 258-0689
Courriel: smarte@smarte.ab.ca

Aux États-Unis :
Symbiotics, Inc.
2301 W Hway 89A, suite 107
Sedona, Arizona 86336
Sans frais : 1 800 784-4355
Tél. : (520) 203-0277
Téléc. : (520) 203-0279
Site Web : www.symbiotics.com

L-carnitine et acétyl-L-carnitine de classe pharmaceutique
Aux États-Unis seulement :
Twin Laboratories Inc.
2120 Smithtown Avenue
Ronkonkoma, New York 11779
Tél. : (631) 467-3140
Téléc. : (631) 630-3486
Site Web : www.twinlab.com

Life Extension Foundation (commandes postales seulement)
995 South West 24th Street
Ft. Lauderdale, Floride 33315
Tél. : (954) 766-8433
Sans frais : 1 800 841-5433
Téléc. : (954) 921-2069
Site Web : www.lef.org

lean+ : la formule suprême de suppléments de La guerre du gras

Nous avons énuméré un grand nombre de nutriments pouvant stimuler la dégradation de la graisse, mais vous n'avez pas à les chercher un à un. Beaucoup sont en effet regroupés dans un cocktail spécial en vente sous le nom de lean+. Conçu par l'auteur Brad King, ce produit contient sept des principaux nutriments de *La guerre au gras* : le *Citrus aurantium* (orange amère), l'acide hydroxycitrique, l'extrait de *Coleus forskohlii*, le guggulipide, l'extrait de thé vert, l'acide alpha-lipoïque et la cayenne. Nous avons parlé de la plupart de ces suppléments au chapitre 12.

lean+ est une formule unique qui stimule les cellules du TAB et qui cible divers autres problèmes d'ordre biochimique associés à la perte de poids, dont l'activation des enzymes et des messagers nécessaires à la lipolyse.

lean+
- Stimule les cellules du TAB et accroît ainsi la capacité de l'organisme à brûler des calories sans exercice.
- Accroît la dégradation des réserves de graisse (lipolyse) en activant la libération d'enzymes lipolytiques et en augmentant la communication intracellulaire.
- Accélère le métabolisme en augmentant la thermogenèse (la production de chaleur par l'organisme) et en stimulant l'activité de la thyroïde; réduit l'appétit.
- Facilite le métabolisme des glucides (sucres) de façon qu'une moins grande quantité de glucides se transforme en lipides.
- Inhibe la production de graisse par les cellules adipeuses; accroît l'énergie.
- Diminue la concentration de cholestérol LDL et VLDL («mauvais cholestérol») tout en augmentant la concentration de cholestérol HDL («bon cholestérol»).
- Protège les cellules des dommages causés par les radicaux libres.

Principales caractéristiques des ingrédients
- L'acide alpha-lipoïque est non seulement un puissant antioxydant qui protège à peu près tous les tissus de l'organisme mais aussi un cofacteur de certaines des principales enzymes (acide alpha-cétonique-déshydrogénase) stimulant dans les mitochondries la production d'énergie à partir des aliments et de l'oxygène.
- L'acide alpha-lipoïque aide aussi à réduire la concentration excessive de glucose en facilitant le métabolisme des glucides de façon qu'une moins grande quantité de glucides se transforme en lipides. La production d'énergie augmente alors puisque les glucides métabolisés se transforment en énergie qui devient disponible pour les activités physiques et intellectuelles.
- La cayenne stimule la production d'ATP (combustible) et par le fait même accélère la thermogenèse de sorte que plus de calories sont brûlées. Elle favorise aussi l'absorption des autres ingrédients.
- Le *Citrus aurantium* accroît la dégradation des réserves de graisse (lipolyse) en augmentant l'activité des cellules du TAB et par conséquent en accélérant la thermogenèse et le métabolisme. Contrairement à l'éphédrine, à la caféine ou au guarana, le *Citrus aurantium* agit en reliant ses amines aux sites récepteurs bêta-3 de la paroi cellulaire sans stimuler le système nerveux central; il n'a donc aucun effet secondaire et ne constitue aucun risque pour la santé.

- Le *Coleus forskohlii* accélère la dégradation des réserves de graisse (lipolyse) en augmentant la concentration de l'AMPc (l'adénosine monophosphate cyclique) dans les cellules.
- La poudre de jus de pamplemousse a les propriétés suivantes (et c'est pourquoi le populaire régime à base de pamplemousses des années 1970 fonctionnait): le pamplemousse contient de la pectine, une substance qui aide à réduire l'absorption des lipides et à inhiber l'appétit. Dans le produit lean+, la poudre de jus de pamplemousse complète les effets du *Citrus aurantium* et en augmente l'efficacité.
- Le thé vert régularise l'appétit et accroît l'activité des cellules du TAB, ce qui accélère la thermogenèse et la dégradation des réserves de graisse et de calories. Le thé vert peut aussi réduire l'absorption intestinale des lipides et empêcher l'absorption des réserves de glucides (inhibe l'activité de l'amylase).
- Le guggulipide contient des composés végétaux qu'on appelle guggulstérones. Il a été démontré que ces composés assurent la régulation du métabolisme en stimulant l'activité de la thyroïde et en favorisant la conversion des hormones thyroïdiennes inactives en hormones actives sur le plan métabolique (T4-T3). À leur tour, celles-ci stimulent l'activité des cellules du TAB, en accélérant la thermogenèse et en éliminant les réserves de graisse. Le guggulipide diminue aussi les risques de maladies coronariennes et la concentration de «mauvais» cholestérol (LDL et VLDL), associés communément à l'obésité.
- L'acide hydroxycitrique, qui provient de la gomme cambodge, réduit l'appétit, inhibe la conversion des glucides en lipides, réduit la production et le stockage de la graisse, et accélère la dégradation des lipides dans les cellules en ralentissant l'action du malonyl CoA, une enzyme qui empêche la dégradation de la graisse.

Au Canada:
lean+ est fabriqué et distribué par:
ehn Inc. (Greens+ Canada)
317 Adelaide Street West, suite 501
Toronto (Ontario) M5V 1P9
Tél.: (416) 977-3505
Sans frais: 1 877 500-7888
Téléc.: (416) 977-4184
Site Web: www.greenspluscanada.com

Note : Pour obtenir les dernières mises à jour sur les produits, exercices et recherches, consultez le site Web de *La guerre au gras* : www.fatwars.com

Pour connaître le programme «High-Performance Hygiene System» du Dr Seaton (voir le chapitre 2), communiquer avec :

High Performance Hygiene
24000 Mercantile Road, Suite 7
Cleveland, Ohio 44122
Tél. (sans frais) : 1 888 262-5700
Téléc. (sans frais) : 1 888 247-8500
Site Web : www.advancedhealth.cc

RÉFÉRENCES

CHAPITRE 1

La génératrice et le brûleur

Astrup, A. et coll. «Pharmacology of thermogenic drugs», *Am J of Clin Nutr,* 1992.

Barenys M. Recasens M.A., Martí Henneberg C et Salas Salvadó J. «Effect of Exercise and Protein Intake on Energy Expenditure in Adolescents», *Rev Esp Fisiol*, décembre 1993, 49(4), p. 209-17.

Barnes, B.O. et Galton, L. *Hypothyroidisim: The Unsuspected Illness*, New York, Harper & Row, 1976.

Berry, M. et coll. «The Contribution of Hepatic Metabolism to Diet-Induced Thermogenesis», *Metabolism*, 1985, 34, p. 141-147.

Brent, G.A. «The Molecular Basis of Thyroid Action», *N Engl J Med*, 1994, 331, p. 847-853,

Collins, S. et coll. «Strain Specific Response to Beta-3 Adrenergic Receptor Agonist Treatment of Diet Induced Obesity in Mice», *Endocrinol*, 1997, 138, p. 405-413.

Dulloo, A.G. et Miller, D.S. «The Thermogenic Properties of Ephedrine/methyl-xanthine Mixtures: Human Studies», *Int J Obesity*, 1986, 10, p. 467-481

Fleury, C. et coll. «Uncoupling protein-2: A Novel Gene Linked to Obesity and Hyperinsulinemia», *Nat Genetics*, 1997, 15, p. 269-272.

Ghorbam, M. et coll. «Hypertrophy of Brown Adipocytes in Brown and White Adipose Tissues and Reversal of Diet Induced Obesity in Rats Treated with a Beta-3 Adrenoceptor Agonist», *Biochem Pharmacol*, 1997, 54, p. 121-131.

Gura, T. «Uncoupling Proteins Provide New Clue to Obesity's Causes», *Science,* 29 mai 1998, 280, p. 1369-1370.

Harper, M.E. Faculté de médecine, Université d'Ottawa, «Obesity Research Continues to Spring Leaks», *Clin Invest Med*, août, 20, p. 239-44.

James W.P.T. et Trayhum P. «Thermogenesis and obesity», *British Med Bulletin*, 1981, 37(1), p. 43-48

Kaats, G. «Effects of Multiple Herbal Formulation on Body Composition, Blood, Chemistry, Vital Signs and Self-reported Energy Levels and Appetite Control», *Int J Obesity*, 1994.

Kopecky, J. «Mitochondrial Energy Metabolism, Uncoupling Proteins and Adipose Tissue Accumulation», *Sb Lek* 1998, 99(3), p. 219-225.

Mersmann, H. «Evidence of Classic Beta 3 Adrenergic Receptors in Porcine Adipocytes», *J Anim Sci*, mai 1996, 74(5), p. 984-992.

Ricquier D. «Uncoupling Protein-2 (UCP2): Molecular and Genetic Studies», *Int J Obes Relat Metab Disord,* juin, 1999, 23, Supplément 6, p. S38-42.

Salas, S.J. «Influence of Adiposity on the Thermic Effect of Food and Exercise in Lean and Obese Adolescents», *Int J Obes Relat Metab Disord*, décembre 1993, 17(12), p. 717-722.

Schrauwen, P., Troost, F.J. Xia, J., Ravussin, E. et Saris, W.H. «Skeletal Muscle UCP2 and UCP3 Expression in Trained and Untrained Male Subjects», *Int J Obes Relat Metab Disord,* septembre 1999, 9, p. 966-972.

Schrauwen, P, Walder, K et Ravussin, E. «Human uncoupling proteins and obesity», *Obes Res,* janvier 1999, 7(1), p. 97-105.

Yang, Y. et coll. «Multiple Actions of Beta Adrenergic Agonists on Skeletal Muscle and Adipose Tissue», *Biochem J*, 1989.

CHAPITRE 2

Les hormones, les protéines et la dégradation de la graisse

Cassidy, C.M. «Nutrition and Health in Agriculturists and Hunter-gatherers: A Case Study of Two Prehistoric Populations», *Nutritional Anthropology*, Pleasantville, New York, p. 117-145.

Crist, D.M. et coll. «Body Composition Response to Exogenous GH during Training in Highly Conditioned Adults», *J Appl Physiol,* août 1988, 65(2), p. 579-84.

Curtis, H. *Biology*, 4ᵉ édition, New York, Worth Publishers, 1986.

Dilman, V.M. *The Grand Biological Clock*. Moscow, Mir, 1989.

Eaton, S.B., Eaton, S.B. III, Konner, M.J. et coll. «An Evolutionary Perspective Enhances Understanding of Human Nutritional Requirements», *J of Nutr*, juin 1996,126, p. 1732-1740.

Eaton, S.B. «Humans, Lipids and Evolution», *Lipids*, 1992, 27(10), p. 814-820.

Goldwasser, P. et Feldman, J. «Association of Serum Albumin and Mortality Risk», *J Clin Epidemiol*, 1997, 50, p. 693-703.

Références

Klatz, R. et Kahn, C. *Grow Young with HGH*. New York, HarperCollins, 1997.

Patterson, C..R.. *Essentials of Biochemistry*, London, Pittman Books, 1983, p. 38.

Peters, T. *All About Albumin,* San Diego, Academic Press, 1996.

Samra, J.S. et coll. «Suppression of the Nocturnal Rise in Growth Hormone Reduces Subsequent Lipolysis in Subcutaneous Adipose Tissue», *Eur J Clin Invest*, 1999, 29(12), p. 1045-1052.

Seaton, K. «Carrying Capacity of Blood in Aging», Presented at the Anti-Aging conference, Las Vegas, 1999. Extrait disponible chez Advanced Health Products, LLC, Beachwood, Ohio. Tél.: 1-888-262-5700.

Sonntag, W. et coll. «Moderate Caloric Restriction Alters the Subcellular Distribution of Somatostatin mRNA and Increases Growth Hormone Pulse Amplitude in Aged Animals», *Neuroendocrinology*, mai 1995, 61(5), p. 601-608.

Sonntag, W.E. et coll. «Pleiotropic Effects of Growth Hormone and Insulin-like Growth Factor (IGF)-1 on Biological Aging: Inferences from Moderate Caloric-restricted Animals», *J Gerontol A Biol Sci Med Sci*, décembre 1999, 54(12), p. B521-538.

Xu, X et Sonntag, W.E. «Moderate Caloric Restriction Prevents the Age-related Decline in Growth Hormone Receptor Signal Transduction», *J Gerontol A Biol Sci Med Sci*, mars 1996, 51(2), p. B167-74.

Yudkin, J. «Evolutionary and Historical Changes in Dietary Carbohydrates», *Amer J Clin Nutr*, 1967, 20(2), p. 108-115.

CHAPITRE 3

L'adiposité chez l'homme

Barnhart, Edward R. *Physicians' Desk Reference*, 45ᵉ édition, Oradell, NJ, Medical Economics Co., 1991.

Björntorp, P. «The Interactions between Hypothalamic-Pituitary-Adrenal Axis Activity, Testosterone, Insulin-like Growth Factor I and Abdominal Obesity with Metabolism and Blood Pressure in Men», *Int J Obes Relat Metab Disord*, décembre 1998, 22(12), p. 1184-1196.

Bhasin, S. et coll. «The Effects of Supraphysiologic Doses of Testosterone on Muscle Size and Strength in Normal Men», *New Engl J Med*, juillet 1996, 335(1), p. 1-7.

BPH, «The Other Side of the Coin.», *Life Extension*, février 1999.

Campbell, D.R. et Kurzer, M.S. «Flavonoid Inhibition of Aromatase Enzyme Activity in Human Preadipocytes», *J Steroid Biochem Mol Biol,* septembre 1993, 46(3), p. 381-388.

Fisher, B. et coll. «Strength Training Parameters in the Edmonton Police Force Following Supplementation with Elk Velvet Antler (EVA)», 1998.

Hryb, D.J., et coll. «The Effect of Extracts of the Roots of the Stinging Nettle *(Urtica dioica)* on the Interaction of SHBG with Its Receptor on Human Prostatic Membranes», *Planta Med,* 61(1), février 1995, p.3-32.

Hsieh, C. et J. Granstrom. «Staying Young Forever: Putting New Research Findings into Practice», *Life Extension,* décembre 1999.

Isidori, A.M. et coll. «Leptin and Androgens in Male Obesity: Evidence for Leptin Contribution to Reduced Androgen Levels», *Journal of Clinical Endocrinology and Metabolism,* 84(10), octobre 1999, p. 3673–3680.

Kaplowitz, P. «Delayed Puberty in Obese Boys: Comparison with Constitutional Delayed Puberty and Response to Testosterone Therapy», *J of Pediatrics,* décembre 1998, 133(6), p. 745–749.

«Predictors of Sex Hormone Levels Among the Elderly: A Study in Greece », *J of Clin Endocrinology and Metab,* 51(10), octobre 1999, p. 837-841.

Rosmond, R. et P. Björntorp. «Endocrine and Metabolic Aberrations in Men with Abdominal Obesity in Relation to Anxio-depressive Infirmity», *Metabolism,* 47(10), octobre 1998, p. 1187-1193.

Schöttner, M. et coll. «Lignans from the Roots of *Urtica dioica* and their Metabolites Bind to Human Sex Hormone Binding Globulin (SHBG)», *Planta Med,* décembre1997, 63(6), p. 529-532.

Shippen, E. et W. Fryer. *The Testosterone Syndrome: The Critical Factor for Energy, Health and Sexuality,* New York, M. Evans and Company, 1998.

Swartz, C. «Low Serum Testosterone: A Cardiovascular Risk in Elderly Men,» dans *Geriatric Med Today,* décembre 1998, 7:12.

Tchernof, A. et coll. «Relationships between Endogenous Steroid Hormone, Sex Hormone-Binding Globulin and Lipoprotein Levels in Men: Contribution of Visceral Obesity, Insulin Levels and Other Metabolic Variables», *Atherosclerosis,* septembre, 133(2), p. 235-244.

Vermeulen, A., et coll. «Testosterone, Body Composition and Aging», *J Endocrinol Invest,* 1999, 22(5), p. 110-116.

Volek, J.S. et coll. «Testoserone and Cortisol in Relationship to Dietary Nutrients and Resistance Exercise», *J of Applied Physiology,* janvier 1997, 82(1), p. 49-54.

Wright, J. et L. Lenard. *Maximize Your Vitality & Potency: For Men over 40,* Petaluma, CA, Smart Publications, 1999.

CHAPITRE 4

L'adiposité chez la femme

Backstrom, T. «Neuroendocrinology of Premenstrual Syndrome», *Clin Obset & Gynecol*, 1992, 35, p. 612.

Barnes, S. «The Chemopreventive Properties of Soy Isoflavonoids in Animal Models of Breast Cancer», *Breast Cancer Res Treat*, novembre 1997, 46(2-3), p. 169-179.

Barnes, S. et coll. «Soy Isoflavonoids and Cancer Prevention. Underlying Biochemical and Pharmacological Issues», *Adv Exp Med Biol*, 401 (a996), p. 87-100.

Baumgartner, R.N. et coll. «Associations of Fat and Muscle Masses with Bone Mineral in Elderly Men and Women», *Am J of Clin Nutr*, 63, p. 365.

Bouchard, C. et coll. «Inheritance of the Amount and Distribution of Human Body Fat», *Int J Obesity*, 1988, 12, p. 205.

Castleman, M. *The Healing Herbs*, New York, Bantam, 1995.

Cauley, J.A. et coll. «The Epidemiology of Serum Sex Hormones in Postmenopausal Women», *Am J Epidem*, 1989, 129, p. 1120.

Ferraro, R., et coll. «Lower Sedentary Metabolic Rates in Women Compared with Men», *J Clin Invest*, 1992, 90, p. 780.

Futagawa, N.K. et coll. «Effect of Age on Body Composition and Resting Metabolic Rate», *Am J Physiol*, 1990, 259, p. E233.

Ingram, D. et coll. «Case-Control Study of Phytoestrogens and Breast Cancer.» *Lancet*, octobre1997, 350, p. 990-94.

Kaym, S., et coll. «Associations of Body Mass and Fat Distribution with Sex Hormone Concentrations in Postmenopausal Women», *Int J Epidemiol*, 1991, 151.

Knudsen, C. «Super Soy: Health Benefits of Soy Protein», *Energy Times*, février 1996, p. 12.

Laux, M. et C. Conrad. *Natural Woman, Natural Menopause*, New York, HarperCollins,1998.

Ley, C.J. et coll. «Sex and Menopausal Associated Changes in Body Fat Distribution», *Am J of Clin Nutr*, 1992, 55, p. 950.

Mauriège, P. et coll. «Abdominal Fat Cell Lipolysis, Body Fat Distribution, and Metabolic Variables in Premenopausal Women», *J of Clin Endocrinology and Metab,* octobre 1990.

Messina, M.J. et coll. Second International Symposium on the Role of Soy in Preventing and Treating Chronic Diseases, Bruxelles, 19 septembre 1996, p. 36.

Mindell, E. *Earl Mindell's Soy Miracle,* New York, Simon & Schuster, 1995.

Pasquali, R. et coll. «Body Weight, Fat Distribution and the Menopausal Status in Women», *Int J Obesity,* 1994, 18(9), p. 614-621.

Rink, J.D. et coll. «Cellular Characterization of Adipose Tissue from Various Body Sites of Women», *J of Clin Endocrinology and Metab*, juillet 1996.

Simpson, E. «Regulation of Estrogen Biosynthesis by Human Adipose Cells», *Endocrin Rev,* 1989, 10, p. 136.

Walker, M. «Concentrated Soybean Phytochemicals», *Healthy & Natural Journal,* 1994, 2(2).

Walker, M.«Phytochemicals in Soybeans», *Health Foods Business*, mars 1995, 36.

Waterhouse, D. *Outsmarting the Midlife Fat Cell*. New York, Hyperion, 1998.

Zamboni, M. et coll. «Body Fat Distribution in Pre and Post-menopausal Women: Metabolic and Antropometric Variables in the Interrelationships», *Int J Obesity,* 1992, 16, p. 495.

CHAPITRE 5

La graisse de bébé

Bar-Or, O. et coll. «Physical Activity, Genetic, and Nutritional Considerations in Childhood Weight Management.» *Med Sci Sports Exerc,* 1998, 30(1), p. 2-10.

Bellizi, M.C. et Dietz, W.H. «Workshop on Childhood Obesity: Summary of the Discussion», *Am J of Clin Nutr*, supplément, 1999, 70, p. 173S-5S.

Birch, L.L. «Development of Food Acceptance Patterns in the First Years of Life», *Proc Nutr Soc*, 1998, 57(4), p. 617-624.

Caprio, S., et coll. «Metabolic Impact of Obesity in Childhood», *Endocrinol Metab Clin North Am*, 1999, 28(4), p. 731-747.

Cutting, T.M. et coll. «Like Mother, Like Daughter: Familial Patterns of Overweight Are Mediated by Mothers' Dietary Disinhibition», *Am J of Clin Nutr*, 1999, 69(4), p. 608-613.

Références

Dewey, K.G. et coll. «Breast-Fed Infants Are Leaner Than Formula-Fed Infants at 1 Year of Age: The DARLING Study», *Am J of Clin Nutr*, févrir 1993, 57(2), p. 140-145.

Ebbeling, C.B. et Rodriguez, N.R.«Effects of Exercise Combined with Diet Therapy on Protein Utilization in Obese Children», *Med Sci Sports Exerc*, 1999, 31(3), p. 378-385.

Fallon, S. et M. Enig. «Tragedy and Hype, The Third International Soy Symposium», *Nexus Magazine*, avril-mai 2000, 7(3).

Golan, M.I. et coll. «Parents as the Exclusive Agents of Change in the Treatment of Childhood Obesity», *Am J of Clin Nutr*, 1998, 67(6), p. 1130-1135.

Golan, M.I. et coll. «Role of Physical Activity in the Prevention of Obesity in Children», *Int J Obes Relat Metab Disord*, supplément 3, 1999, 23, p. S18–33.

Golan, M.I. et B.A. Gower. «Relation Between Visceral Fat and Disease Risk in Children and Adolescents», *Am J of Clin Nutr*, supplément, 1999, 70, p. 149S-56S.

Irvine, C. et coll. «The Potential Adverse Effects of Soybean Phytoestrogens in Infant Feeding», *New Zealand Med J,* 24 mai, 1995, p. 318.

Keller, J.D. et coll. «Infants of Diabetic Mothers with Accelerated Fetal Growth by Ultrasonography: Are They All Alike?», *Am J Obstet Gynec*, septembre 1990, 163(3), p. 893-897.

Levy, J.R. et coll. «The Effect of Prenatal Exposure to the Phytoestrogen Genestein on Sexual Differentiation in Rats», *Proc Soc Exp Biol Med*, janvier 1995, 208(1), p. 60-66.

Metzger, B.E. et coll. «Amniotic Fluid Insulin Concentration as a Predictor of Obesity», *Arch Dis Child*, octobre 1990, 65(10), p. 1050-1052.

Patel, M.S. et coll. «Overview of Pup in a Cup Model: Hepatic Lipogenesis in Rats Artificially Reared on a High-Carbohydrate Formula», *J Nutr,* supplément, février 1993,123(3), p. 373-77.

Proceedings of the Nutrition Society, 1992, 51, p. 353-365.

Robinson, T.N. «Does Television Cause Childhood Obesity?» *JAMA*, 1998, 279(12), p. 959-960.

Robinson, T.N. «Reducing Children's Television Viewing to Prevent Obesity: A Randomized Controlled Trial», *JAMA*, 1999, 282:16, p.1561-1567.

Rosenbloom, A.L. et coll. «Emerging Epidemic of Type 2 Diabetes in Youth», *Diabetes Care*, 1999, 22(2), p. 345-354.

Santti, R. et coll. «Phytoestrogens: Potential Endocrine Disruptors in Males», *Toxicol Ind Health*, janvier 1998, 14(1-2), p. 223-237.

Setchell, K.D. et coll. «Isoflavone Content of Infant Formulas and the Metabolic Fate of These Early Phytoestrogens in Early Life», *Am J of Clin Nutr,* supplément, décembre 1998, p. 1453S-1461S.

Silverman, B.L. et coll. «Long-Term Prospective Evaluation of Offspring of Diabetic Mothers», *Diabetes,* décembre 1991, supplément 2, 40, p. 121-25.

Slyper, A.H. «Childhood Obesity, Adipose Tissue Distribution, and the Pediatric Practitioner», *Pediatrics* 102(1), 1998, p. E4.

Sothern, M.S. et coll. «A Multidisciplinary Approach to the Treatment of Childhood Obesity», *Del Med J*, 1999, 71(6), p. 255-261.

Story, M. «School-Based Approaches for Preventing and Treating Obesity», *Int J Obes Relat Metab Disord*, supplément, 1999, 23, p. S43–51.

Strauss, R. «Childhood Obesity», *Curr Probl Pediatr*, 1999, 29(1), p. 1–29.

Whitten, P.L. et coll. «Phytoestrogen Influences on the Development of Behavior and Gonadotrophin Function», *Proc Soc Exp Biol Med*, janvier 1995, 208(1), p. 82-86.

CHAPITRE 6

Premier macrocombustible : les glucides

Baba, N.H. et coll. «High Protein vs High Carbohydrate Hypoenergetic Diet for the Treatment of Obese Hyperinsulinemic Subjects», *Int J Obes Relat Metab Disord*, 1999, 23(11), p. 1202-1206.

Clemens, L.H. et coll. «The Effect of Eating Out on Quality of Diet in Premenopausal Women», *J Am Diet Assoc*, 1999, 99(4), p. 442-444.

Daly, J.W. et coll. «Is Caffeine Addictive? The Most Widely Used Psychoactive Substance in the World Affects Same Parts of The Brain as Cocaine», *Lakartindningen*, 1998, 95(51-52), p. 5878-5883.

Drummond, S. et coll. «A Critique of the Effects of Snacking on Body Weight Status», *Eur J Clin Nutr,* 1996, 50(12), p. 779-783.

Garg, A. et coll. «Effects of Varying Carbohydrate Content of Diet in Patients with Non-insulin-dependent Diabetes Mellitus», *JAMA*, 1994, 271(18), p. 1421-1428.

Garrett, B.E. etGriffiths R.R. «Physical Dependence Increases the Relative Reinforcing Effects of Caffeine Versus Placebo», *Psychopharmacology (Berl)*, 1998, 139(3), p. 195-202.

Golay, A. et coll. «Weight-loss with Low or High Carbohydrate Diet?», *Int J Obes Relat Metab Disord*, 1996, 20(12), p. 1067-1072.

Références

Grant, W.B. «Low-fat, High-sugar Diet and Lipoprotein Profiles», *Am J Clin Nutr*, 1999, 70(6), p. 1111-1112.

Griffiths,R.R. et coll. «Low-dose Caffeine Physical Dependence in Humans», *J Pharmacol Exp Ther*, 1990, 255(3), p. 1123-1132.

Harnack, L. et coll. «Soft drink Consumption Among U.S. Children and Adolescents: Nutritional Consequence.», *J Am Diet Assoc*, 1999, 4, p. 436-441.

Hughes, J.R. et Hale, K.L. Behavioral Effects of Caffeine and Other Methylxanthines on Children, *Exp Clin Psychopharmacol*, 1998, 6(1), p. 87-95.

Jeppesen, J. et coll. «Effects of Low-fat, High-carbohydrate Diets on Risk Factors for Ischemic Heart Disease in Postmenopausal Women», *Am J Clin Nutr*, 1997, 65(4), p. 1027-1033.

Lavin, J.H. et coll. «The Effect of Sucrose and Aspartame Sweetened Drinks on Energy Intake, Hunger, and Food Choice of Female, Moderately Restrained Eaters», *Int J Obes Relat Metab Disord*, 1997, 21(1), p. 37-42.

McCrory, M.A. et coll. «Overeating in America: Association Between Restaurant Food Consumption and Body Fatness in Healthy Adult Men and Women Ages 19 to 80», *Obes Res*, 1999, 7(6), p. 564-571.

Miller, J.C. «Importance of Glycemic Index in Diabetes», *Am J Clin Nutr*, 1994, 59, p. 747S-752S.

Reaven, G.M. «Do High Carbohydrate Diets Prevent the Development or Attenuate the Manifestations (Or Both) of Syndrome X? A Viewpoint Strongly Against», *Curr Opin Lipidol*, 1997, 8(1), p. 23-27.

Sidossis, L.S. et coll. «Glucose plus Insulin Regulate Fat Oxidation by Controlling The Rate of Fatty Acid Entry into the Mitochondria», *J Clin Invest*, 1996, 98(10), p. 2244-2250.

Starc, T.J. et coll. «Greater Dietary Intake of Simple Carbohydrate is Associated with Lower Concentrations of High-Density-Lipoprotein Cholesterol in Hypercholesterolemic Children», *Am J Clin Nutr*, 1998, 67(6), p. 1147-1154.

Strain, E.C. et coll. «Caffeine Dependence Syndrome. Evidence from Case Histories and Experimental Evaluations», *JAMA*, 1994, 272(13), p. 1065-1066.

Wolfe, B.M. et Piche, L.A. «Replacement of Carbohydrate by Protein: In a Conventional-fat Diet Reduces Cholesterol and Triglyceride Concentrations in Healthy Normolipidemic Subjects», *Clin Invest Med*, 1999, 22(4), p. 140-148.

CHAPITRE 7

Deuxième macrocombustible : les graisses alimentaires

Barrsch, H. et coll. «Dietary Polyunsaturated Fatty Acids and Cancers of the Breast and Colorectum Emerging Evidence for Their Role as Risk Modifiers», *Carcinogenesis*, 1999, 20(12), p. 2209-2218.

Berry, E.M. «Dietary Fatty Acids In The Management of Diabetes Mellitus», *Am J Clin Nut*, 1997, Supplément 4, 66, p. 991S-997S.

Bonnefont, J.P. et coll. «Carnitine Palmitoyltransferase Deficiencies», *Mol Genet Metab*, 1999, 68(4), p. 424-440.

Borkman, M. et coll. «The Relationship Between Insulin Sensitivity and the Fatty-Acid Composition of Skeletal-Muscle Phospholipids», *N Engl J Med* 1993, 328(4), 238-44.

Broadhurst, C.L. «Balanced Intakes of Natural Triglycerides for Optimum Nutrition: An Evolutionary and Phytochemical Perspective», *Med Hypotheses*, 1997, 49(3), p. 247-261.

Cesano, A et coll. «Opposite Effects Of Linoleic Acid and Conjugated Linoleic Acid on Human Prostatic Cancer In SCID Mice», *Anticancer Res* 18(3A), 1429-1434, 1998.

Decsi, T. et coll. «Long-chain Polyunsaturated Fatty Acids in Plasma Lipids of Obese Children», 1996, I 31(3), p. 305-311.

Demmelmair, H. et coll. «Trans Fatty Acid Contents in Spreads and Cold Cuts Usually Consumed by Children», *Z Ernahrungswiss*, 1996, 35(3), p. 235-240.

Dreon, D.M. et coll. «A Very Low-Fat Diet is not Associated with Improved Lipoprotein Profiles in Men With A Predominance of Large, Low-density Lipoproteins», *Am J Clin Nutr*, 1999, 69(3), p. 411-418.

Garg, A. «High-monounsaturated-Fat Diets for Patients with Diabetes Mellitus: A Meta-analysis», *Am J Clin Nutr,* 1998, Supplément 3, 67, p. 577S-582S.

Harris, W.S. et coll. «Influence of n-3 Fatty Acid Supplementation on the Endogenous Activities of Plasma Lipase», *Am J Clin Nutr* 1997, 66(2), p. 254-260.

Horrocks, L.A. and Yeo, Y.K. «Health Benefits of Docosahexaenoic Acid (DHA)», *Pharmacol Res*, 1999, 40(3), p. 211-225.

Ip, C. «Review of the Effects of Trans Fatty Acids, Oleic Acid, N-3 Polyunsaturated Fatty Acids, and Conjugated Linoleic Acid on Mammary Carcinogenesis in Animals», *Am J Clin Nutr*, 1997, supplément 6, 66, p. 1523S-1529S.

Références

Kwiterovich, P.O. Jr. «The Effect Of Dietary Fat, Antioxidants, and Pro-Oxidants on Blood Lipids, Lipoproteins, and Atherosclerosis», *J Am Diet Assoc*, supplément 7, 1997, p. S31-41.

Lardinois, C.K. «The Role of Omega-3 Fatty Acids on Insulin Secretion and Insulin Sensitivity», *Med Hypotheses*, 1987, 24(3), p. 243-248.

Louheranta, A.M. et coll. «A High-Trans Fatty Acid Diet and Insulin Sensitivity in Young Healthy Women», *Metabolism*, 1999, 48 (7): 870-5.

Madsen, L. et coll. «Eicosapentaenoic and Docosahexaenoic Acid Affect Mitochondrial and Peroxisomal Fatty Acid Oxidation in Relation to Substrate Preference», *Lipids*, 1999, 34 (9), p. 951-963.

Mori, T.A. et coll. «Dietary Fish as a Major Component of a Weight-Loss Diet: Effect On Serum Lipids, Glucose, and Insulin Metabolism in Overweight Hypertensive Subjects», *Am J Clin Nutr*, 1999, 70(5), p. 817-825.

Nelson, G.J.; Schmidt, P.C.; and Kelly, D.S. «Low-fat Diets Do Not Lower Plasma Cholesterol Levels in Healthy Men Compared to High-Fat Diets With Similar Fatty Acid Composition at Constant Calorie Intake», *Lipids*, 1995, 30(11), p. 969-976.

Phinney, S.D. «Arachadonic Acid Maldistribution in Obesity», *Lipids*, 1996, 31 suppl., p. S271-274.

Phinney, S.D. «Metabolism of Exogenous and Endogenous Arachidonic Acid in Cancer», *Adv Exp Med Biol*, 1996, 399, p. 87-94.

Rieger, M.A. et coll. «A Diet High in Fat and Meat But Low in Dietary Fibre Increases the Genotoxic Potential of Ofecal Water», *Carcinogenesis* 1999, 20:12, p. 2311-2316.

Rustan, A.C. et coll. «Omega-3 and Omega-6 Fatty Acids in the Insulin Resistance Syndrome», *Ann N Y Acad Sci*, 1997, 20(827), p. 310-326.

Schmidt, M.A.; *Smart Fats,* North Atlantic Books, Berkeley, Cal., 1997.

Sears, B.; *The Anti-Aging Zone*, HarperCollins, New York, NY., 1999.

Simoneau, J.A. et coll. «Markers of Capacity To Utilize Fatty Acids in Human Skeletal Muscle: Relation to Insulin Resistance and Obesity and Effects of Weight Loss», *FASEB J*, 1999, 13(14), p. 2051-2060.

Simopoulos, A.P. «Is Insulin Resistance Influenced by Dietary Linoleic Acid and Trans Fatty Acids?» *Free Radic Biol Med*, 1994, 17(4), p. 367-72.

Tutelian, V.A. et coll. «Effects of Polyunsaturated Fatty Acids of the Omega-3 Family in the Anti-Atherosclerotic Diet on the Activity of Lysosomal Lipolytic

Enzymes, Mononuclear Cells and Blood Platelets of Patients with Ischemic Heart Disease», *Vopr Pitan*, 1993, (5), p. 17-22.

Willett, W.C. et coll. «Is Dietary Fat a Major Determinant of Body Fat?», *Am J Clin Nutr*, 1998, 67, p. 556S-562S.

Willumsen, N. et coll. «Eicosapentaenoic Acid, But Not Docosahexaenoic Acid, Increases Mitochondrial Fatty Acid Oxidation and Upregulates 2,4-Dienoyl-Coa Reductase Gene Expression in Rats», *Lipids*, 1996, 31(6), p. 579-592.

CHAPITRE 8

Troisième macrocombustible: les protéines alimentaires

Barenys, M. et coll. «Effect of Exercise and Protein Intake on Energy Expenditure in Adolescents», *Rev Esp Fisiol*, 1993, 49(4), p. 209-17.

Biolo, G., et coll.; «An Abundant Supply of Amino-Acids Enhances the Metabolic Effect of Exercise on Muscle Protein», *Amer J Phys*, 1997, 273, p. E122-E129.

Bounous, G., et coll; «The Influence of Dietary Whey Protein on Tissue Glutathione and the Diseases of Aging», *Clin Invest Med*, Dec 1989, 12(6)34, 343-9.

Bounous, G et Gold P; «The Biological Activity of Undenatured Dietary Whey Proteins: Role of Glutathione», *Clin Invest Med*, Aug 1991, 14(4), p. 296-309

Bounous, G., et coll; «Evolutionary Traits in Human Milk Proteins», *Med Hypotheses*, octobre 1998, 27(2), 133-140.

Bounous, G., et coll; «The Immunoenhancing Property of Dietary Whey Protein Concentrate», *Clin Invest Med*, aiût 1988, 11(4), 271-278

Bounous, G., Batist G et Gold P; «Whey Proteins in Cancer Prevention», *Cancer Lett*, May 1999, 57(2), 91-4.

Campbell, W.W. et coll. «Effects of an Omnivorous Diet Compared With a Lactoovovegetarian Diet On Resistance-training-induced Changes in Body Composition and Skeletal Muscle in Older Men», *Am J Clin Nutr*, 1999, 70, p. 1032-1039.

Chaitow, L. *Amino Acids in Therapy*, Thorsons Publishers Inc., Rochester, VT, 1985.

Conley, E. *America Exhausted*, Vitality Press Inc, Flint, MI, 1998.

Coyne, L.L. *Fat Won't Make You Fat*, Fish Creek Publishing, Alberta, Canada, 1998.

Demonty, I. et coll. «Dietary Proteins Modulate the Effects of Fish Oil on Triglycerides in the Rat», *Lipids*, 1998, 33(9): 913-21.

Références

Froyland, L. et coll. «Mitochondrion is the Principal Target for Nutritional and Pharmacological Control of Triglyceride Metabolism», *J Lipid Res*, 1997, 38 (9): 1851-1858.

Heine, W., et coll. «Alpha-Lactalbumin-enriched Low-protein Infant Formulas: A Comparison to Breast Milk Feeding», *Acta Paediatr,* 1996, septembre, 85 (9), p. 1024-8.

Knudsen, C., *Super Soy: Health Benefits of Soy Protein*, Energy Times, février, 1996,12.

Lemon, P.W. et coll. «Moderate Physical Activity Can Increase Dietary Protein Needs», *Can J Appl Physiol*, 1997, 22 (5), p. 494-503.

McCarty, M.F. «Vegan Proteins May Reduce Risk Of Cancer, Obesity, and Cardiovascular Disease by Promoting Increased Glucagon Activity», *Med Hypotheses*, 1999, 53 (6), p. 459-85.

Mindell, E., *Earl Mindell's Soy Miracle*, Simon & Schuster, 1995.

Morr, C.V., Ha, E.Y. «Whey Protein Concentrates and Isolates: Processing And Functional Properties», *Crit Rev Food Sci Nutr*, 1993, 33(6), p. 431-476.

Rankin, JW. «Role of Protein in Exercise», *Clin Sports Med* 18(3), p. 499-511, 1999.

Recommended Dietary Allowances, 10e édition., Washington DC: National Academy Press, 1989,71.

Robinson, S.M. et coll. «Protein Turnover and Thermogenesis in Response To High-Protein and High-Carbohydrate Feeding in Men», *Am J Clin Nutr*, 1990, 52(1), p. 72-80.

Satterlee, L.D., et coll. «In Vitro Assay for Predicting Protein Efficiency Ratio as Measured by Rat Bioassay: Collaborative Study», *J Assoc Off Anal Chem*, juillet 1982, 65(4), p. 798-809

Soucy, J. et Leblanc, J. «Protein Meals and Postprandial Thermogenesis», *Physiol Behav*, 1999, 65 (4-5): 705-.

Stroescu, V., et coll.; «Effects of Supro Brand Isolated Soy Protein Supplement in Male and Female Elite Rowers», *XXVth FIMS World Congress of Sports Medicine*, Athènes, Greece, 1994.

Vandewater, K. and Vickers, Z. «Higher-protein Foods Produce Greater Sensory-Specific Satiety», *Physiol Behav*, 1996, 59(3), p. 579-583.

Walker, M., «Concentrated soybean phytochemicals», *Healthy & Natural Journal*, 1994, 2(2).

Walker, M., «Phytochemicals in Soybeans», *Health Foods Business*, mars 1995, 36.

Westerterp, K.R. et coll. «Diet Induced Thermogenesis Measured over 24h in a Respiration Chamber: Effect of Diet Composition», *Int J Obes Relat Metab Disord*, 1999, 23 (3), p. 287-292.

Whitehead, J.M. et coll. «The Effect of Protein Intake on 24-Hour Energy Expenditure During Energy Restriction», *Int J Obes Relat Metab Disord*, 1996, 20(8): 727-732.

Wurtman, J.J., and Suffers, S.; *The Serotonin Solution,* Ballantine Books, 1997.

Zed, C and James, WP. «Dietary Thermogenesis in Obesity. Response to Carbohydrate and Protein Meals: The Effect of Beta-Adrenergic Blockage and Semi-starvation», *Int J Obes* 10(5), p. 391-405, 1986.

CHAPITRE 9

Une fringale insatiable

Birdsall, T.C. «Hydroxytryptophan: A Clinically-Effective Serotonin Precursor», *Altern Med Rev*, août 1998, 3(4), p. 271-280.

Bolla, K.I., et coll. «Memory Impairment in Abstinent MDMA («Ecstasy») Users», *Neurology*, décembre 1998, 51(6), p. 1532-1537.

Dye, L., et J.E. Blundell. «Menstrual Cycle and Appetite Control: Implications for Weight Regulation», *Hum Reprod*, juin 1997, 12(6), p. 1142-1151.

Heine, W., et coll. «Alpha-Lactalbumin-Enriched Low-Protein Infant Formulas: A Comparison to Breast Milk Feeding», *Acta Paediatr*, septembre 1996, 85(9), p. 1024-1028.

Knudsen, C. «Super Soy: Health Benefits of Soy Protein», *Energy Times*, février 1996, 12.

Leibowitz, S., and T. Kim. «Impact of a Galanin Antagonist on Exogenous Galanin and Natural Patterns of Fat Ingestion», *Brain Research*, 1992, 599, p. 148-152.

Mindell, E. *Earl Mindell's Soy Miracle*, New York: Simon & Schuster, 1995.

Morr, C.V., and E.Y. Ha. «Whey Protein Concentrates and Isolates: Processing and Functional Properties», *Crit Rev Fod Sci Nutr*, 1993, 33(6), p. 431-476.

Prasad, C. «Food, Mood and Health: A Neurobiologic Outlook», *Braz J Med Biol Res*, décembre 1998, 31(12), p. 1517-1527.

Toornvliet, A.C., et coll. «Serotoninergic Drug-Induced Weight Loss in Carbohydrate Craving Obese Patients», *Int J Obes Relat Meb Disord*, octobre 1996, 20(10), p. 917-920.

Références

Wurtman, J.J. «Carbohydrate Craving: Relationship Between Carbohydrate Intake and Disorders of Mood», *Drugs* 39, supplément 3, 1990, p. 49-52.

Wurtman, J.J., and S. Suffers. *The Serotonin Solution*, New York, Ballantine Books, 1997.

Wurtman, R.J., et coll. «Brain Serotonin, Carbohydrate-Craving, Obesity and Depression», *Adv Exp Med Biol* 398, 1996, p. 35-41.

CHAPITRE 10

Mourir de faim

Carlton, A., Lillios, I., *J Amer Diet Assoc*, 1986, 86, p. 367-368.

Colgan, M., *Optimum Sports Nutrition*, New York, NY, Advanced Research Press, 1993.

Colgan, M., *The New Nutrition: Medicine For The Millennium*, Apple Publishing, 1995, p. 153-154.

Colmers, W., Cowley, M., et coll. «Integration of NPY, AGRP, and Melanocortin Signals in the Hypothalamic Paraventricular Nucleus: Evidence of a Cellular Basis for the Adipostat», *Neuron*, 1999, 24, p. 155-163.

Conley, E., *America Exhausted*, Vitality Press, Michigan, 1998.

Germano, C. et Advantra Z™ : *The Natural Way to Lose Weight Safely*, Kensington Publishing Corp., 1998.

Klein S. «The War Against Obesity: Attacking a New Front», *American Journal of Clinical Nutrition*, juin 1999, 69(6), p. 1061-1063.

Lowenstein, N.J., «Effect Of Hydroxy-Citrate on Fatty Acid Synthesis by Rat Liver in Vivo», *J Biol Chem*, 1971, 246, p. 629-632.

Markert, D., *The Turbo-Protein diet*, BioMed International, 1999.

McGarry, J.D., et coll; «Role of Carnitine in Hepatic Ketogenesis», *Proc Natl Acad Sci*, 1995, 72, p. 4385-4388.

McGarry, J.D., Foster, D.W., «Regulation of Hepatic Fatty Acid Production and Ketone Body Production», *Ann Rev Biochem*, 1980, 49, p. 395-420.

Next Nutrition, The IsoCaloric «No Diet» Fat Burning Handbook, Next Nutrition, 1996.

Rosenfeld, RD., et coll. «Biochemical, biophysical, and pharmacological characterization of bacterially expressed human agouti-related protein», *Biochemistry*, novembre 1998, 37(46), p. 16041-16052.

Sapolsky, R. *Why Zebras Don't Get Ulcers*, W. H. Freeman and Company, New York, 1998.

Simopoulos, A. *Nutr Rev*, 1985, 43, p. 33-40.

US News and World Report, février, 3, 1992.

CHAPITRE 11

Les principes alimentaires de *La guerre au gras*

Ahlborg, G, Felig, P. «Influence of Glucose Ingestion on Fuel-Hormone Response During Prolonged Exercise», *J Appl Physiol*, 1976, 41, p. 683.

Biolo, G. et coll. «An Abundant Supply of Amino Acids Enhances the Metabolic Effect of Exercise on Muscle Protein», *Amer J Physiol*, 1997, 273, p. E122-E129.

Blom, P.C.S. et coll. «Effect of Different Post-Exercise Sugar Diets on the Rate Of Muscle Glycogen Synthesis», *Med & Sci in Sports & Exercise*, 1987, 19, p. 491-496.

Burke, E.R. *Optimal Muscle Recovery*, Avery Publishing Group, New York, 1999.

Noakes, T.D. et coll. «The Metabolic Response to Squash Including the Influence of Pre-Exercise Carbohydrate Ingestion», *S Afr Med J*, novembre 1982, 62(20), p. 721-723.

CHAPITRE 12

Les 10 suppléments pour perdre du gras

SUPPLÉMENT N° 1, ISOLATS DE PROTÉINES

Bounous, G. et P. Gold. «The Biological Activity of Undenatured Dietary Whey Proteins: Role of Glutathione», *Clin Invest Med*, août 1991, 14, p. 296-309.

Knudsen, C. «Super Soy: Health Benefits of Soy Protein», *Energy Times*, février 1996, p. 12.

The Life Extension Foundation. *The Wonders of Whey Restoring Youthful Anabolic Metabolism at the Cellular Level*, mai 1999.

Mindell, E. *Earl Mindell's Soy Miracle*, New York, Simon & Schuster, 1995.

Renner, E. *Milk and Dairy Products in Human Nutrition*. Munich, 1983.

Volpi, E. et coll. «Exogenous Amino Acides Stimulate Net Muscle Protein Synthesis in the Elderly», *Clin Invest*, 1998, 101, p. 2000-2007.

Walker, M. «Concentrated Soybean Phytochemicals», *Healthy & Natural Journal* 2(2), 1994.

Références

Walker, M. «Phytochemicals in Soybeans, Health» *Foods Business*, mars 1995, p. 36.

SUPPLÉMENT N° 2, ACIDE GRAS OMEGA-3

Harris, W.S. et coll. «Influence of n-3 Fatty Acid Supplementation on the Endogenous Activities of Plasma Lipase», *American Journal of Clinical Nutrition*, 1997, 66(2), p. 254-260.

Madsen, L. et coll. «Eicosapentaenoic and Docosahexaenoic Acid Affect Mitochondrial and Peroxisomal Fatty Acid Oxidation in Relation to Substrate Preference», *Lipids*, 1999, 34(9), p. 951-963.

Schmidt, M.A. *Smart Fats*, Berkeley, North Atlantic Books, 1997.

Simoneau, J.A. et coll. «Markers of Capacity to Utilize Fatty Acids in Human Skeletal Muscle: Relation to Insulin Resistance and Obesity and Effects of Weight Loss», *FASEB J*, 1999, 13(14), p. 2051-2060.

Willett, W.C. et coll. «Is Dietary Fat a Major Determinant of Body Fat?», *American Journal of Clinical Nutrition* 1998, 67, p. 556S-562S.

SUPPLÉMENT N° 3, LES CONCENTRÉS VERTS

Colgan, M. et L. Colgan. *The Flavonoid Revolution*, Vancouver, Apple Publishing, 1997.

Graci, S. *The Power of Superfoods: 30 Days That Will Change Your Life*, Toronto: Prentice Hall Canada, 1997.

SUPPLÉMENT N° 4, ANTIOXYDANTS

Bounous, G. et P. Gold. «The Biological Activity of Undenatured Dietary Whey Proteins: Role of Glutathione», *Clin Invest Med*, août 1991, 14(4), p. 296-309.

Colgan, M. *Antioxidants: The Real Story*, Vancouver: Apple Publishing, 1998.

Conley, E.J. *America Exhausted: Breakthrough Treatments of Fatigue and Fibromyalgia*, Vitality Press Inc., 1997.

Gy, J.Y. et coll. «Effects of Sesamin and Alpha-tocopherol, Individually or in Combination on the Polyunsaturated Fatty Acid Metabolism, Chemical Mediator Production, and Immunoglobulin in Sprague-Dawley Rats», *Biosci Biotechnol Biochem*, 1995, 59(12), p. 2198-2202.

Kagan, T. et coll. «Coenzyme Q10 Can in Some Circumstances Block Apoptosis, and This Effect Is Mediated Through Mitochondria», *Ann NY Acad Sci* 1999, 887, p. 31-47.

Kishi, Y. et coll. «Alpha-lipoic Acid: Effect on Glucose Uptake, Sorbitol Pathway, and Energy Metabolism in Experimental Diabetic Neuropathy», *Diabetes* 1999, 48(10), p. 2045-2051.

Krinsky, N.I. et coll. «Antioxidant Vitamins and Beta-carotene in Disease Prevention», *American Journal of Clinical Nutrition* 1995, 6, p. 1299S-1540S.

Lang, I. et coll. «Effect of the Natural Bioflavonoid Antioxidant Silymarin on Superoxide Dismutase (SOD) Activity and Expression in Vitro», *Biotechnol Ther* 1993, 4, p. 263-270.

Pressman, A.H. *Glutathione: The Ultimate Antioxidant*, The Philip Lief Group Inc., 1997.

Sinatra, S.T. *The Coenzyme Q10 Phenomenon*, New Canaan, CT: Keats Publishing, 1998.

Streeper, R.S. et coll. «Differential Effects of Lipoic Acid Stereoisomers on Glucose Metabolism in Insulin-Resistant Skeletal Muscle», *Am J Physiol*, 1997, 273 (1 Pt 1), p. E185-191.

SUPPLÉMENT Nº 5, LE CHROME

Grant, K.E. et coll. «Chromium and Exercise Training: Effect on Obese Women», *Med Sci Sports Exerc*, 1997, 29(8), p. 992-998.

Kaats, G.R. et coll. «A Randomized, Double-Masked, Placebo-Controlled Study of the Effects of Chromium Picolinate Supplementation on Body Composition: A Replication and Extension of a Previous Study», *Curr Ther Res* 1998, 59, p. 379-388.

Vincent, J.B. «Mechanisms of Chromium Action: Low-Molecular-Weight Chromium-Binding Substance», *J Am Coll Nutr* 1999, 18(1), p. 6-12.

SUPPLÉMENT Nº 6, LE *CITRUS AURANTIUM* OU ORANGE AMÈRE

Astrup, A., et coll. «Pharmacology of Thermogenic Drugs», *American Journal of Clinical Nutrition*, 1992.

Berry, M., et coll. «The Contribution of Hepatic Metabolism to Diet-Induced Thermogenesis», *Metabolism* 1985, 34, p. 141-147.

Collins, S. et coll. «Strain Specific Response to Beta-3 Adrenergic Receptor Agonist Treatment of Diet Induced Obesity in Mice», *Endocrinol*, 1997, 138, p. 405-413.

Fleury, C. et coll. «Uncoupling Protein-2: A Novel Gene Linked to Obesity and Hyperinsulinemia», *Nat Genetics*, 1997, 15, 269-272.

Gurley, B.J. et coll. «Ephedrine Pharmacokinetics After the Ingestion of Nutritional Supplements Containing Ephedra Since (Ma Huang)», *Ther Drug Monit* 1998, 20(4), p. 439-445.

Kaats, G. «Effects of Multiple Herbal Formulation on Body Composition, Blood, Chemistry, Vital Signs and Self-Reported Energy Levels and Appetite Control»,

Références

Int J Obesity, 1994; Mersmann, H. «Evidence of Classic Beta-3 Adrenergic Receptors in Porcine Adipocytes», *J Anim Sci*, mai 1996, 74(5), p. 984-992.

Yang, Y. et coll. «Multiple Actions of Beta Adrenergic Agonists on Skeletal Muscle and Adipose Tissue», *Biochem J*, 1989.

SUPPLÉMENT N° 7, L'ACIDE HYDROXYCITRIQUE

Lowenstein, N. «Effect of Hydroxycitrate on Fatty Acid Synthesis by Rat Liver in vitro», *J Biol Chem*, 1971.

McGarry, J. et D. Foster. «Regulation of Hepatic Fatty Acid Production and Ketone Body Production», *Ann Rev Biochem*,1980.

Novin, D. et coll. *American Journal of Clinical Nutrition,* 1985, 42, p. 1050-1062.

Sullivan, A. *American Journal of Clinical Nutrition,* 30,1977, p. 767-776.

SUPPLÉMENT N° 8, LA FORSKOLINE

Ahmad, F. et coll. «Insulin and Glucagon Releasing Activity of Coleonol (Forskolin) and Its Effects on Blood Glucose Level in Normal and Alloxan Diabetic Rats», *Acta Diabetol Lat*, janvier 1991, 28(1), p. 71-77.

Metzger, H. et E. Lindner. «The Positive Inotropic-Acting Forskolin, a Potent Adenylate Cyclase Activator», *Arzneimittelforschung* 1981, 31(8), p. 1248-1250.

Murray, M. «The Unique Pharmacology of *Coleus Forskohlii*», *Health Counselor* 7 (2).

Seamon, K. «Structure-Activity Relationships for Activation of Adenylate Cyclase by the Diterpene Forskolin and Its Derivatives», *J Med Chem*, mars 1983, 26(3), p. 436-439.

SUPPLÉMENT N° 9, LE THÉ VERT

Deng, Z. et coll. «Effect of Green Tea and Black Tea on Blood Glucose, Triglycerides, and Antioxidants in Aged Rats», *J Agricult Food Chem,* 1998, 46, p. 3875-3878.

Dulloo, A. «Efficacy of a Green Tea Extract Rich in Catechin Polyphenols and Caffeine in Increasing 24h. Energy Expenditure and Fat Oxidation in Humans», *American Journal of Clinical Nutrition* 1999, 70, p. 1040-1045.

Hara, Y. «Influence of Tea Catechins on the Digestive Tract», *J Cel Biochem.*

Kreydiyyeh, S. et coll. «Tea Extract Inhibits Absorption of Glucose and Sodium in Rats», *Comp Biochem Physiol C Pharmacol Toxicol Endocrinol*, 1994, 108, p. 359-365.

Yokogoshi, H. et coll. «Effect of Theanine, R-Glutamylethylamide, on Brain Monoamines and Striatal Dopamine Release in Conscious Rats», *Neurochem Res* 1998, 46, p. 2143-2150.

SUPPLÉMENT N° 10, L-CARNITINE

Clouet, P. et coll. «Effect of Short- and Long-Term Treatments by a Low Level Dietary L-carnitine on Parameters Related to Fatty Acid Oxidation in Winstar Rat», *Biochem Biophys Acta* 1996, 1299(2), p. 191-197.

McGarry, J.D. «More Direct Evidence for a Malonyl-CoA-Carnitine Palmitoyltransferase I Interaction as a Key Event in Pancreatic Beta-Cell Signaling», *Diabetes*, 1994, 43, p. 878-883.

Paulson, D.J. «Carnitine Deficiency-Induced Cardiomyopathy», *Mol Cell Biochem*, 1998, 180, p. 33-41.

Reyes, B. et coll. «Effects of L-carnitine on Erythrocyte Acyl-CoA, Free CoA, and Glycerophospholipid Acyltransferase in Uremia», *American Journal of Clinical Nutrition* 1998, 67(3), p. 386-390.

Rubaltelli, F.F. et coll. «Carnitine & the Premature Biol Neonate.»

CHAPITRE 13

L'exercice

Andrews, J.F. «Exercise for Slimming», *Proc Nutr Soc* Aug 1991, 50(2), p. 459-471.

Brynr, R.W. et coll. «Effects of Resistance vs. Aerobic Training Combined with an 800 Calorie Liquid Diet on Lean Body Mass and Resting Metabolic Rate», *J Am Coll Nutr,* 1999, 18(2), p. 115-121.

Borsheim, E. et coll. «Adrenergic Control of Post-exercise Metabolism», *Acta Physiol Scand,* March 1998, 162(3), p. 313-323.

Burke, E.R. *Optimal Muscle Recovery,* New York, Avery Publishing Group, 1999.

Carlson, L.A. et coll. «Studies on Blood Lipids During Exercise», *J Lab Clin Med* 1963, 61, p. 724-729.

Chilibeck, P.D. et coll. «Higher Mitochondrial Fatty Acid Oxidation Following Intermittent Versus Continuous Endurance Exercise Training», *Can J Physiol Pharmacol*, Sept 1998, 76(9), p. 891-894.

Coggan, A.R. et coll. «Fat Metabolism During High-Intensity Exercise in Endurance-Trained and Untrained Men», *Metabolism,* 2000, 49(1), p. 122-128.

Colgan, M. *The New Nutrition*, chapitre 25. Vancouver, Apple Publishing, 1995.

Fernández, Pastor V.J. et coll. «Function of Growth Hormone in the Human Energy Continuum During Physical Exertion», *Rev Esp Fisiol,* décembre1991, 47(4), p. 223-229.

Références

Herring, J.L. et coll. «Effect of Suspending Exercise Training on Resting Metabolic Rate in Women», *Med Sci Sports Exerc* Jan 1992, 24(1), p. 59-65.

Hunter, G.R. et coll. «A Role for High-Intensity Exercise on Energy Balance and Weight Control», *Int J Obes Relat Metab Disord,* 1998, 22(6), p. 489-493.

Kraemer, W.J. et coll. «Effects of Heavy-Resistance Training on Hormonal Response Patterns in Younger and Older Men», *J Appl Physiol* 1999, 87(3), p. 982-992.

McCartney, N.A. et coll. «Usefulness of Weightlifting Training in Improving Strength and Maximal Power Output in Coronary Artery Disease», *Amer J Cardiol,* 1991, 67, p. 939.

Pavlou, K.N., et coll. «Effects of Dieting and Exercise on Lean Body Mass, Oxygen Uptake and Strength», *Med Sci Sports Exer,* 1985, 17, p. 466-471.

Poehlman, E.T. «A Review: Exercise and Its Influence on Resting Energy Metabolism in Man», *Med Sci Sports Exerc*, Oct 1989, 21(5), p. 515-525.

Sears, B. *The Anti-Aging Zone.* New York: Regan Books, 1999.

van Dale, D. et coll. «Weight Maintenance and Resting Metabolic Rate 18-40 Months After a Diet/Exercise Treatment», *Int J Obes,* avril1990, 14(4), p. 347-359.

CHAPITRE 14

Le plan d'action de *La guerre au gras*

Batmanghelidj, F. *Your Body's Many Cries for Water*, Falls Church, VA, Global Health Solutions, 1998.

Burke, E.R. *Optimal Muscle Recovery*, Garden City Park, NY, Avery Publishing Group, 1999.

Fleck, S.J., and W.J. Kraemer. *Periodization Breakthrough*, New York: Advanced Research Press, 1996.

Transcontinental
IMPRESSION
IMPRIMERIE GAGNÉ

IMPRIMÉ AU CANADA